MITT LIV SOM KÖRSÅNGARE

Jakten på ett dreamteam

Tryggve Emstedt

© 2019 Tryggve Emstedt
Omslag: Lena Sanver lena@sanver.se
https://lenasanverillustrations.myportfolio.com/work
Förlag: BoD – Books on Demand, Stockholm, Sverige
Tryck: BoD – Books on Demand, Norderstedt, Tyskland

ISBN: 978-91-77855187

FÖRORD

Det här är en fiktiv berättelse om livet i en kör men med medlemmar från olika körer. Handlingen utspelar sig i kommunen Gevalia. Berättelsen har till synes stora likheter med verkligheten, så stora att en del körsångare som läst delar av berättelsen indignerat krävt att "jag" inte skall vara med längre. Detta synsätt synes mig mycket märkligt eftersom berättelsen är en "vinkobbel" med många ingredienser eller kanske snarare en "blended whisky". Många populära blend/blandningar kan bestå av upp till 20 olika sorters whisky. Så kan min berättelse också bestå av inslag från 5 - 10 personer men bara en talesperson.

Det mesta är dock ren och skär fantasi med "Bonusfamiljen" av Felix Herngren och andra serier som förebilder. Men den här berättelsen skall inte handla om bonusfamiljer utan om körsångare.

I en kör finns det många människor varför det alls inte är märkligt att det finns många karaktärer i berättelsen. För att göra det lite lättare att överskåda finns det en namnlista i slutet av boken.

5

När personer som läst om sitt alter ego inte haft synpunkter på sitt "andra jag" har de fått vara kvar i berättelsen men i andra fall har det tillkommit rena fantasifigurer. Nu är det dags att börja och här är lite bakgrund i "fantasiformat".

Kap 1
EN BAKGRUND

Rot-Leif var en medelålders man, i sina hittills bästa år, som kommit till ett vägskäl. Hans mamma, estnisk-födda Rut från en förort till Tallinn, hade kärat ner sig i dvärgbjörkförsäljaren Sven Duva från finska Åbo efter att Sven Duva varit i Tallinn på Medeltidsvecka 1952 och då haft oskyddat sex med Rut. Nio månader senare, den 1 januari 1953, levererade hon en son. Rut förlöste honom själv eftersom hon inte hade råd att låta barnet födas i en taxi. Hon bet också själv av navelsträngen och efter det fick hon dessvärre ett missprydande underbett som gjorde att hon hade svårt att uttala asch, isch och andra tyska "isch liebe dich"-ord.

Även om sonen Leif inte var planerad så var han verkligen önskad när han väl kom ut. Det var så taktfullt som Rut uttryckte det när Leif var i sin mest känsliga förpubertet – 11 år – och kände sig väldigt 'förpubertets' rotlös.

De första åren efter Leifs födelse åkte Pappa Sven Duva runt på den estniska landsbygden och slipade knivar. Många lärde känna honom som "Tallinn the knife". För att dryga ut sina små inkomster brukade han uppträda på cirkus och kasta knivar mot en kvinna som var fastbunden på ett chokladhjul med choklad från den estniska motsvarigheten till Cloetta.

Efter att han av misstag råkat döda sin artistkollega – en lettisk kvinna med anor från Albanien som tog för 'lett' på regeln att inte röra sig när man sitter fastnaglad vid hjulet – och blivit föremål för blodshämnd beslöt Sven Duva att Rut skulle få vara med och jobba på cirkusen.

Skulle han mot förmodan missa en gång till, så blev det i alla fall en familjeangelägenhet och han slapp bli utsatt för blodshämnd. Cirkuslivet och att familjen ständigt var på resande fot för att undgå blodshämnden förstärkte Leifs känsla av rotlöshet.

Åren gick och när Leif var 16 år, det vill säga 1969, var han genuint trött på det kringflackande livet och bestämde sig för att åka till Sverige och söka jobb på bryggeriet i Mariestad.

Här lärde han känna Göte Swan som var ett år äldre än Leif och gick i gymnasiet. Göte tog med honom till stadens fina badanläggning och till biblioteket.

Leif brukade gå till biblioteket i Mariestad och lyssna när den populära gruppen "Pelles" övade och fick även höra deras cover: "Varför skall man älska den

8

man ändå aldrig får?" Han beslöt sig, efter att ha ta-
lat med Christer Sjögren – som då var med i Pelles –
att han skulle bli dansbandssångare. Han sjöng Cool
Candys stora hit "Göta Kanal" när han sjöng upp för
Pelles och tog då särskilt fasta på texten "där simmar
heller ingen haj eller val".

Christer Sjögren och hans kamrater gav Leif stående
ovationer, efter hans framförande och bestämde sig
för att skänka sina tidigare scenkostymer till Rot-
Leif så att han själv kunde sätta ihop ett band och
det gjorde han året därpå. Bandet hette Sten-Stel-
lans kvintett efter Rot-Leifs stora favoriter Sten och
Stanley. Under 1971 övade man mest i bandet, som
bestod av en organist vid namn Åke, en trumslagare,
Rot-Leif på gitarr och sång samt två ytterligare gi-
tarrister vid namn Stellan och Sven.

I en talangtävling på Sötåsens lanbruksskola utanför
Töreboda vann Sten - Stellans kvintett och det fick
till resultat att man började få spelningar nästan var-
je helg.

Dessa spelningar gjorde Rot-Leif – som var en my-
cket sparsam natur – ekonomiskt oberoende och
lade också grunden till hans stora förmögenhet som
år 2019 inte torde understiga 100 miljoner. Mer om
Rot-Leifs bakgrund kommer vi till senare men nu är
det dags att komma in på modern tid.

9

Kap 2

STEVE EMFORS: BERÄTTAREN

Steve är 65 fyllda – jämnårig med Rot-Leif – och
har två mindre barn på 3 och 7 år och två vuxna barn
samt ett barnbarn.

Steve arbetar som humanjurist och har gjort det i
hela sitt vuxna liv. Jobbet är oerhört ansträngande
och att försöka komma överens med människor som
befinner sig i stor kris är inte lätt. Det har han vetat
länge. Han har också vetat hur näst intill omöjligt det
är att byta jobb i hans "aktningsvärda" ålder. Steve
sysslar mest med vårdnadstvister och annat elände.
Han brukar kalla sig för en "eländesadvokat". Han
är förvånad över att han orkar fortsätta med sitt omö-
jliga arbete.

Ett sätt att hålla sig flytande är att sjunga i kör.
Problemet är bara att det är sådan skillnad på kör och
kör. När Steve sjunger vill han inte ha det för svårt.
Sången skall vara en kontrast till jobbet. Han är inte
intresserad av motettkörer och andra elitkörer även
om hans självförtroende är sådant att han inbillar sig
att han kan sjunga i nästan vilken kör som helst om
rösten håller. En gång i tiden, se nedan, sjöng han
i "concorde-kören". Men även där fanns problemet

med att en del kunde sjunga och andra bara var med av sociala skäl. I bästa fall var man mutanter och sjöng inte alls eller bara väldigt svagt men risken var överhängande att man i stället inte alls kunde sjunga och sjöng starkt. Nu ville han söka ett sätt att få en kyrkokör att låta bra och det var inte det lättaste.

Steve började sjunga i Bollnäs-Arbrå manskör 1983 - 84 och 1984 kom han till Marykören och var med där i ett antal år. Kören blev till slut alldeles för stor och flyttade ner på stan och blev Holykören under CG:s ledning. En mycket uppskattad och duktig körledare. 1991 - 1996 sjöng han i Streambridgekören, en kör i utkanten av Gevalia. Där sjöng han med John Melon som hade en fantastiskt fin tenorstämma. Det var en njutning att sjunga med JH. Steve har väldigt stort behov av att sjunga tillsammans med någon som drar åt samma håll som han själv. Det har varit lite si och så med det i Marykören. Parallellt med SB kören sjöng han alltså i Concordkören. Steve trivdes bra i kören. Inte minst socialt men hade ingen riktig kamrat i stämman utom under en kort tid. Till slut beslöt han sig för att lämna kören i samband med en del trassel på jobbet.

Det år han slutade var 1999. Då hade körledare Hedda haft räfst och rättarting och kastat ut minst en tredjedel av kören. Det gjorde en del sångare mycket upprörda och när de träffade Steve tio år senare berättade de inlevelsefullt om detta trauma. Hedda var sångpedagog och var väldigt duktig i den rollen. Däremot var hon mindre lyckad som pianist och hon hade svårt att både spela och leda samtidigt och hur svårt kan inte det vara, funderade Steve där han satt och försökte tänka ut vad han skulle skriva om lite längre fram i berättelsen. Heddas tolerans mot sig själv var större än mot körmedlemmarna.

Steve blev dessutom degraderad av Hedda till 1:e bas istället för tenor. Det var dödsstöten för hans självkänsla. Steve försökte sedan att sjunga i Marykören igen men den kören var alldeles för stor och det var alldeles för svårt för den nyutexaminerade Fader Berg att leda kören så Steve gav upp sin nyupptagna karriär i Marykören. Nu la han ner stämgaffeln under ett antal år.

Den som gjorde att Steve fick lusten att sjunga på nytt var Goran Ullfager. En mycket stabil bas i dubbel bemärkelse och osannolikt jovialisk. Goran kom med sitt förslag i samband med att man var och handlade på Coop. Steve var inte särskilt nödbedd. Han hade saknat sången och bara i viss mån fått utlopp för den i sällskapet NT och i Brodd Fellow. Goran Ullfager tog alltså med sig Steve till El Tomaso kören och året borde ha varit ca 2010. Sångavbrottet hade alltså varit närmare 10 år. I vart fall mer än 5 år.

Ledare för El Tomaso-kören var Bongo. En man med bra repertoar som dirigerade bra men med osannolikt dålig sångröst. Han sjöng till och med sämre än en del äldre manliga präster och det vill inte säga lite. Märkligt nog hade de inte vett på att bara lässjunga utan skulle prompt försöka få till något slags "kväde." Så var det även med Bongo.

Steve blev väl mottagen av Bongo och även av de flesta damer men ett fåtal damer tålde inte honom och det var ömsesidigt. I kören fanns också den härliga frejdiga Anel Ave, som sjöng alt och var mycket uppmuntrande.

Alt var också Eiram som inte bara sjöng bra utan även var obeskrivligt vacker. Steve föll som en fura för Eiram och gjorde allt för att få chansen att sitta nära henne under fikapauserna. Att hon var optiker gjorde också att han nu började köpa nya glasögon 3 - 4 gånger per år. Det gjorde att han såg och uppskattade hennes skönhet ännu mer, eftersom han hade ett brytningsfel som gjort att han innan han fick nya och nyputsade glasögon såg allt i ett slags förlovat skimmer.

Steve hade väldigt svårt att hantera den här, brytningsfria, känslan men han var tvungen. Han var en sann representant för MeToo rörelsen som även

13

månade om förfördelade män. Rättvist skulle det vara.

När han tyckte att han sjöng vackert så gjorde han det alltid för Eiram och inte för Bongo, som dessutom verkade ha det svårt med damer. Åtminstone kom han ofta i bråk med dem. Kanske för att hans egna preferenser låg hos just män och gärna äldre än honom själv men med ungefär samma midjemått.

Goran hade en baskollega vid namn Markysinnan som var uppväxt på en ö i Estland vid namn Runö. Även Marcys var en mycket säker bas och Goran och Marcys var ett avundsvärt radarpar. Kanske var det så att Steve var lite avundsjuk att han inte hade motsvarande radarkompis. Så fort de kom samman så började de skratta och fnittra åt varandras skämt. De påminde om programledarna i "gapskrattkanalerna" Metropol och Rix FM.

Steve hade Leffe Tor att hålla sig till men Leffe och han var ofta inte alls sams. I vart fall inte när man övade. När det var dags för uppsjungning var man däremot väldigt samsjungna och hade stort utbyte av varandra. I tenorstämman fanns också Multi Kulti men han tillhörde den inte helt ovanliga skaran som alltid sjöng en egen variant av det verk man framförde och den versionen var varken vacker eller rätt och inte heller ett inhopp i sopranen utan bara fel och fult. Det var svårt att sjunga bredvid en störningssändare av den kalibern. Det hade Steve haft väldigt svårt för i sitt tidigare liv och det hade han väldigt svårt för nu.

Sopranerna var ganska bra i början men efter hand så slutade de duktiga och sopranen blev både fåtalig och svag men kvar var en uppenbar skrik-sopran. Hon ville så gärna ta de höga tonerna men när hon försökte så lät det förfärligt.

I alten fanns också en självgod dam som han retade sig oerhört på. Hon jobbade på FK, var fisförnäm och var dessutom öppet kritisk mot hans sånginsatser. *Måtte människan drabbas av spetälska eller något annat elände,* tänkte Steve i sina mer svaga och borderlineanstrukna stunder. Allt det här i kombination med ett gräl med Bongo ledde till att Steve hoppade av kören. Utöver det hade Eiram gjort sig illa i en olycka med elcykel och var inte längre med i kören. Trots dessa omständigheter var det ett svårt beslut att lämna kören.

Nu gick han över till Steambridgekören. Här fick han sjunga med den i särklass bästa kyrkotenoren i Gevalia; Rot-Leif. Vilket var ett sant nöje. En fantastisk känsla att sjunga med någon som kunde läsa noter och som sjöng rätt oavbrutet och som Steve var sams med.

15

Däremot var han lite av en fegsångare eftersom han väldigt ogärna sjöng högre än D. Istället så hoppade han över falsetten och la sig en ters lägre. Smart. Dum var han inte.

Att dirigeras av Betty var också fantastiskt och att kompas av den extremt duktiga pianisten och körledare Mary Dahl (MD) var också en ren gåva. I kören fanns också underbara Gun the Gun.

Avundsjuka blev det även här eftersom Steve ville sjunga solo men det var bara Rot-Leif som gällde för Dahlia. (Efter att ha slutat fick Steve reda på att Dalia smorts upp på både det ena och andra sättet av Rot-Leif med tvättade pengar som kommit via Swedbank i Estland.

Rot-Leif hade ju "gu´ be vars" ett estniskt ursprung och beredvilligheten att betala skatt i Sverige var inte större än för präster i allmänhet som hade pengar över som skulle investeras.

Efter en ganska kort tid i Steambridgekören så slutade Rot-Leif och Dahlia flyttade över till El Tomasokören. Till råga på allt så övade man på onsdagar i El Tomasokören och så även i Marykören. Streambridgekören gick också över till onsdagar med fader Berg som körledare, en stencool kille som internrekryterats från Wallbridge församling.

Steve försökte hoppa emellan El Tomasokören och

Marykören men det blev inte bra. Steve blev mer och mer frustrerad eftersom det inte fanns någon i hans huvudkör som han kände drog åt samma håll som han själv. Inget ont om Börje Bil men han sjöng inte ut så på det sättet blev det ingen musikalisk match mellan Steve och Börje Bil.Det var i detta läge som han kände att han var tvungen att börja om från början och tillsammans med sin forne vapendragare Rot-Leif skriva boken om det hårda och obarmhärtiga körlivet som ständigt bjöd på himmel och helvete. Nu ville han få till en Dreamteamkör och helst ett ordinarie lag och ett i farmarligan som skulle stå på tillväxt.

Nu var det bara att börja jobba och samtidigt försöka berätta lite om vad kören/körerna – som han nu var med i – hade för sig. En sak visste han och det var att Goran Ullfager skulle vara med i Dreamteamkören likaså Markysinnan, Gun the Gun samt Maria Cat.

Steve var också tvungen att internrekrytera Li(s)za Luzt, som jobbade med coachning och var god vän med terapeuten Julius Arvén. Han var känd från den i terapisammanhang välkända boken "Medan latten kallnar", som var skriven av Steves Alias Tore Telgsten.

Kap 3

PARAMETER-MÄTARE

Steve ville vara påläst och ha idéer när han skulle
träffa Rot-Leif och gå igenom hur man dels skulle få
ett dreamteam inom Gevalias sakrala körliv och dels
få till en blandning som skulle vara ett uttryck för
särpräglad "rostning" bland körerna i Gevalia. Hade
man eget kafferosteri så skulle man självklart också
låta olika beroende vad man "rostade". Det var det
som i körsammanhang kallades för klang. Den de-
likata uppgiften att hjälpa till med denna rost/röst-
process var alltså Julius Arvéns lärjunge Li(s)za Luzt
som hade en osedvanligt god förmåga att komma
med råd i alla väderstreck. Många trodde på hennes
råd och t om följde dem och fick därmed ett bättre
liv. Många som var tacksamma gick också i kyrkan
mer efter sin behandling och det gynnade ju kyrkan
i allmänhet och kyrkoskatten i synnerhet. Det blev
helt enkelt färre personer som gick ur kyrkan och det
var ett av målen med Li(s)za Luzts arbete.

Nu hade Liza och Steve träffats på restaurangen
Strand, mitt emot Brown Bay och inte så långt från
gasklockorna.

"Tack för att du bjöd mig på lunch", sa Liza som redan börjat knapra på de goda gurkorna som ingick i salladen.

"Tack för att du kom. Jag vet att du skall ha ytterligare ett möte med fader Sven endera dagen men jag tänkte att du och jag kunde spåna lite om vad som kan vara intressant i den blandning som vi skall åstadkomma och som skall göra varje kör unik", sa Steve och försökte se lite viktig ut. Trots allt så var ju det här ett tämligen stort arbete och han hade med hjälp av ärkebiskopen lyckats utverka ett EU bidrag på 100 000 kr för *inledande arbete med mellanmänskliga relationer*.

"Jo, jag har tänkt lite och som vanligt är jag lite jäktad för jag skall dela ut inte mindre än 5 olika blomsterkvastar till 90 plusgruppen. Och det arbetet startar redan kl 13 00. Vidare skall jag och en grupp inom X- trafik tala om skilda busschaufförer. Vi skall tillsammans titta på ett par avsnitt av "Bonusfamiljen" och försöka ta lärdom av det".

"Mycket bra, mycket bra", sa Steve märkbart stressad och föga övertygande. "Kör igång du, så får jag se vad jag kan bidra med. "

"Absolut! Det skall jag göra", sa Li(s)za Luzt och det märktes att hon var tagen av sitt uppdrag. Hon var en mycket samvetsgrann person och tog varje uppdrag som kom i hennes väg på stort allvar.

"Det första du bör titta på i dina olika körer är ålderssammansättning i de körer som du är med i och som du har möjlighet att fråga." sa Li(s)za Luzt och såg en aning märkvärdig ut.

"Utmärkt start, för jag har redan räknat ut att basen i Marykören, som består av fem herrar, har en medelålder på 75,5 år. Vidare är tenorerna 73 år i snitt och sopraner och altar landar båda på ganska exakt 60 år i snitt"

"Bra, bra" sa Liza och fortsatte. "Vidare skall du titta på etnicitet och språkkunskaper och om det går att sjunga begripligt på svenska trots att man exempelvis kommer från Polen eller Ukraina. Du bör även försöka få fram medelvikten för varje stämma men det är överkurs och kan komma som steg två tillsammans med midjemått och skostorlek och andra parametrar som skall mätas."

"I sopranen har vi ju en kvinna från Finland och en annan från Estland", konstaterade Steve lite lagom förvirrat.

"Ja, du ser. Då tar du och räknar ut medelåldern för dessa kvinnor och sedan delar du med antalet och får fram en viss siffra."

"Varför då", undrade Steve som hade lite svårt att hänga med.

"Jo genom att sedan jämföra medelåldern för utlandsfödda med medelåldern för inlandsfödda får du fram en parameter som kan ha avgörande betydelse för körklangen."

"Ok jag testar," sa Steve och såg ut som ett extra stort frågetecken.

"Sedan så kommer jag att ta fram ett frågeformulär för att utröna hur många som läser Aftonbladet före Expressen, bergspredikan före Psaltaren och lyssnar på Mellot med behållning eller ingen behållning alls.

"Gå på du", sa Steve som kände en viss frustration över svårigheterna.

"När du sedan fyllt i formuläret som jag skall utarbeta med fader Sven så får du fram ett resultat och sedan kan du alltså mixa personer som tycker om Mellot och är utlandsfödda och samtidigt är sopraner. Har du förstått?", undrade Li(s)za Luzt och såg lätt road ut.

"Vad får det då för betydelse att man ex har tre sopraner som är utlandsfödda och Mello anhängare kontra tre som är fromma och bara lyssnar på psalmer och klassisk musik", sa Liza och det märktes att hon nu var någonting stort på spåren.

"Steve sken upp och sa: Ja, jädrar i min skomakarlåda". Nu är du något stort på spåren och med det här mixandet så får du alltså till en spännande

och smakfylld "kör-kobbel" eller hur? Som dessu-
tom doftar av både kaffe och nyupptagen torv? Och
inte är någon hemskt "skandinavienblandning" a la
populära vinboxar på Systembolaget.

"Rätt uppfattat och där slutar jag för i dag för nu
väntar "kvastarna" på att få delas ut innan det är
dags för Blåkulla".

Det sista förstod inte Steve men log som om han för-
stod.

De båda "kumpanerna" skiljs åt och beslutar att de
skall ses om precis en vecka igen. Dvs den 9 april
2019 och då var inte påsken långt borta.

Kap 4
KÖRMEDLEMMAR

Den kör som Steve Emfors, jurist med två barn och fru, nu skall berätta om kallas för Marykören och den finns i en förort till kommunen Gevalia.

I kören finns det ca 25 medlemmar men för att inte tynga handlingen för mycket med namn så låter vi den ha fyra i varje stämma, fast det egentligen kan variera från 4 till 12 medlemmar.

Ledare för gruppen är den ljuva Carola Kilt, med medhjälpare Carola Colt.

Carola Kilt är 80% av herrarna förälskade i. Hon har en älvas väsen och klär sig i gammaldags kläder a la Madicken som passar hennes väna lekamen på ett ypperligt sätt. Allt kören är i princip "jättebra" oavsett hur illa det låter så det är väldigt svårt att i grunden röna ut vad Carola Kilt egentligen tycker. Man kan dock vara säker på att hon har oerhört svårt att ge individuellt beröm, till Steve Emfors stora förtret. Han behöver uppmuntras hela tiden och inbillar sig att han kan få en rännil genom sina kontakter med Carola Kilt men dessa önskningar kommer nästan alltid på skam.

Vi kommer senare fram till vad för typ av sångare man är. Det finns enligt Rot-Leif tre typer av sångare: "Solosångare", om de är basar kallas de för "basgångar", stödsångare –sjunger bra om de har stöd av andra, och mutanter, som inte sjunger alls eller bara mumlar.

Kap 5
KÖRLEDARE

Carola Kilt var en körledare som trodde på någon typ av *fri uppfostran* i modern tappning. Hon hade att hantera herrar som ofta var 70 plus och damer som ofta var 60 plus och trots denna brokiga samling, eller kanske p g a det, så ville hon leda genom att säga: "sjung som Ni vill". Alla svårigheter vid ställen som hon inte tänkt på var "sjung som Ni vill eller "sjung melodistämman". Då ordnar sig allt.

Steve hade väldigt svårt att förlika sig med detta sätt att se på körverksamhet och Rot-Leif var en stor hängiven anhängare av auktoritär ledarstil a la Rakel Guld. CK spelade piano väldigt bra men leda kören och dirigera samtidigt var inte riktigt hennes grej. Men vad gjorde det när hon var älskad av 80% av herrarna, oavsett vilka nycker hon fick och avgudad och beundrad av 90 % av damerna. Bara några få damer var i opposition och dit hörde Gun The Gun (GTG) och Maria Cat.

En annan typ av körledare var Lady Gaga – ledare för Homebridgekören – som inte var lika bra på att spela piano som Carola Kilt, men var en baddare på att dirigera och se till avsluten kom där de skulle komma. Ännu mer precis i sin taktering var Ola Swan, ledare för Hillary kören. Han var en f d militär och i sin ungdoms dagar hade han även uppträtt på Circus i Stockholm m fl ställen.

Gevalias grand old lady var den oförlikneliga Rakel Guld som var så skicklig att hon när som helst kunde ställa sig i en stämma och sjunga den stämman på ett korrekt sätt samtidigt som hon fortsatte att dirigera. Rakel Guld kunde dirigera obehindrat eftersom Mary Dahl satt vid pianot. Skulle Mary ha förhinder så hade Rakel Guld, som passerat 70 med råge, ändå ha klarat av att leda kören på ett föredömligt sätt.

Steve Emfors hade fått i uppdrag av Rot-Leif att skriva om körlivets vedermödor. Någon riktig bok värd namnet om att sjunga i kör hade tidigare inte givits ut, såvitt Steve visste. Och fanns det sådana verk så tänkte han inte läsa dem för han hade "ett gryt" på 20 kvm – dvs en enrummare under jord – att vinna om han lyckades väl med sin uppgift. Det hade Rot-Leif lovat honom och Rolle, som han kallades, stod vid sitt ord. Problemet med

Steve var att han hade ett överjag vid namn självkänsla som bråkade rejält med honom. Självförtroendet var knivskarpt och Steve trodde sig om stordåd både vad gällde arbete och körsång men hans självkänsla var ofta usel. Det krävdes inte mycket för att hans cirklar skulle rubbas. Carola Kilt rubbade dem oupphörligen genom sina diffusa kommentarer om hans soloinsatser.

"Gick det bra", undrade Steve, och längtade efter beröm men det kom aldrig. "Jo, men det *gick väl* bra? Fast jag hörde inte så mycket, Jag spelade piano"

I den stilen gick hon på och det var frustrerande för Steve. Det här var något som Steve ville få bukt med för sin egen och andras skull. Man måste kunna få individuell uppmuntran och inte bara kollektiv sådan. OM man regelbundet fick det så sjöng man bättre och om körledaren uppmärksammade den som var fel ute så hjälpte det också till att få kören att låta bra och kören fick en bättre klang.

Steve insåg att uppgiften att försöka få till en kyrkokör som lät bra var näst intill omöjligt men han tyckte ändå om uppgiften och ansåg att hans 30 år som körsångare kunde göra att han kanske var lämplig för uppgiften.

Kap 6
FARBROR SVENS RAPPORT-JULEN 2018

Steve hade förutsatt sig att skriva det mesta om körens vedermödor men ibland orkade han inte med det här som kunde kallas för "referat" från olika uppsjungningar eller andra begivenheter. Så inte heller den här gången och därför lämnade han med varm hand – med en liten brännblåsa – pennan till "farbror Sven".

"Och så var det då dags för den länge emotsedda julkonserten i Marykyrkan (Mk) med Marykören tillsammans med Homebridgekören (HV). Damerna i HV fylkades i korridoren och verkade ha något slags möte inför den stundande övningen och om det kom någon karl förbi så möttes de av arga blickar. HV- kören var kanske inte manshatare, kunde Steve konstatera men man kunde nog säga att de ändå hyste ett visst förakt mot män. En del av de mest rabiata kvinnorna i HV-kören ansåg att det var obegripligt att man överhuvudtaget hade kvar en herrstämma när det bara var fyra herrar. Trots det bakade man goda kakor som även herrarna blev bjudna på. Det skedde nog, kan man tänka, med visst förakt och med vissa baktankar. Vissa i kören hade ju mer än vänliga relationer med männen oavsett om de var gifta eller inte. Inte minst var den vackra, unga mannen från Nigeria väldigt uppskattad av kvinnorna trots hans ganska rudimentära svenskkunskaper.

Det visade sig bli en rejäl sopran- och altstämma och totalt kanske 20 - 25 damer. Herrarna var färre och totalt 9 stycken. I vanlig ordning så fylldes i vart fall halva kyrkan upp av diverse kyrkliga funktionärer samt ett antal halta och lytta från omgivande åldershem och äldreboenden.

Prästen, Fader Sven, hälsade välkommen och det gjorda även diverse behjälpligt läskunniga funktionärer. Han återkom sedan med en rolig och putslustig dikt som han skrivit alldeles själv. Den var så frispråkig att domkapitlet skall studera innehållet i den del som handlade om herdarna och huruvida de verkligen var tre till antalet. Fader Sven var kyrkans svar på den profana barnvisskaparen, Gullan Bornemark.

Fader Sven var inte bara filosof och gav ut diverse kontroversiella tankar utan skrev även barnvisor och annat roligt och underhållande. Sven var en makalös tillgång och det var närmast osannolikt att man fått en sådan toppkraft till en förortskyrka som "Mary-kyrkan".

Som solist hade man återigen kontrakterad den

29

skönsjungande sailorn Jungman Jansson, som trots sin begränsade hårmängd sjöng så att håret på damerna vågade sig. JJ älskade gospel och hade ett förflutet i en sådan församling men nu var han husvill och hoppade in än här än där och särskilt i juletid.

Lady Gaga ledde flocken på ett förtjänstfullt sätt och Carola Kilt spelade alldeles utsökt som så ofta, konstaterade farbror Sven.

Publiken fick en hel palett av "juliga" örhängen och de såg tämligen nöjda ut.

Extra nummer blev det också. Hej vad det går. När kören skulle böja sig ner och tacka för applåderna passade Anela Mat på att leta efter sin vattenflaska, på gradänggolvet, bland slingriga kvinnoben. Hon hade så när lyckats avfyra en ofrivillig luftpuff men hejdade sig i sista sekunden.

Tore Ton hade ny hörapparat samt ring i näsan kvällen till ära, och hade nästan full kontroll över sitt starka och välljudande musikaliska omfång. Anela Mat höll ömsom med Steve Emfors, som höll sig till noterna, och ömsom till TT:s musikaliska broderier. Att brodera och vara lite afrikansk och påhittig passade dock ganska väl den här gången när man sjöng visor som rekommenderats av JJ.

Under "Julens tecken" var solopassagerna minst

sagt växlande men Börje Barsk var stabil liksom Steve Emfors.

Efter konserten dryftade sig en del damer till att påstå att herrarna skött sig bra och det var ju i och för sig bra medan Maria Cat irrade omkring som en äggsjuk höna i jakten på sin tallrik med diverse läckerheter. Troligen letar hon fortfarande.

Maria Cat, som lider av svår lust att säga det hon tycker, påstod att de bullar som Steve hade bakat bara hade en förtjänst och det var florsockret som tillsatts i efterhand. En lätt debil kvinna doppade även bullarna. Tacksamheten för medhavda bullar kände således inga gränser men kvällen hade varit lyckad och en före detta granne till Maria Cat fick skjuts hem. Carola Kilt fick chansen att säga något individuellt angenämt om herrarnas sång men hon avstod och ville återkomma under våren.

Vid pennan Farbror S

Kap 7
HOS ROT-LEIF

Steve oroade sig ofta – mest i onödan – för möte-
na med Rot-Leif men han insåg också att han denna
gång hade lite att komma med efter att ha konsulter-
at den klokaste han kände; nämligen Gun The Gun i
Streambridgekören. En tidigare lärare och utbildare
inom svenska folkskolan som genom bemannings-
företag värvats till USA p g a Ture Tons goda kon-
takter. som i sin tur lett till att hon två gånger om
året åkte över till Atlanta i Georgia för att utbilda
överviktiga. De som gick på hennes kurser var oftast
vapentokiga och nu fick de chansen att inte bara
lära sig skjuta med paintballkulor i två veckor utan
även träna på "Ålning medelst hasning", och annat
paramilitärt rörelsegodis. Kursen kostade 10 000
dollar/person inklusive en ful och flammig t-shirt.
De överviktiga intygade dock alla att det var värt
pengarna och att det var billigt jämfört med många
andra liknande militära "viktraskurser". Brutto-Vin-
sten för kursen var 97% före skatt och det var GTG
nöjd med.

Rot-Leif och Steve samlades i "Gryt I" som var
"Rolles" största gryt – även kallat Rolles Roys – och

vardagsrummet där var på 100 kvm och hela anläggningen var några meter under jord, helt nära Homevillage stugan.

"Nå låt höra vad du har att säga", sa Rot-Leif och bredde ut sig på sin Carl Malmsten fåtölj, som han köpt billigt på Erikshjälpen i Gevalia city. Fotöljen pryddes av en alldeles äkta kamelhårsmatta. "Gör du några framsteg", undrade han och läppjade på sin alkoholfria paraplydrink, spetsad med sockrad kummin, samtidigt som han fick en betydande rynka i pannan vilket förstås störde Steve Emfors koncentration.

"Tycker jag nog", sa Steve och började genast prata om de regler som han ansåg var nödvändiga i en bra kör.

"Jag anser att vi skall sträva efter att ha en fungerande dubbel, dubbel kvartett i varje kyrka, bestående av 2 första sopraner, 2 andra sopraner och motsvarande i de andra stämmorna och totalt 16 stycken och till det kommer att man har bara solister och duktiga "medsångare" i varje stämma (4) men att man kan tillåta en mutant – någon som inte sjunger alls eller väldigt svagt – per stämma, inte mer. Detta innebär således att man har en ganska bra kör med 16 riktiga sångare och 4 mutanter.

"Låter helt ok för mig och det är ju det minsta

antal en kör bör bestå av om vi inte har att göra med rena elitkörer – motettkörer – med deras svåra och konstsjungande repertoar eller hur? När man sedan sjunger upp i lite mer allvarliga sammanhang som 1 advent och eljest bör man kanske ha två "Musikplutoner" dvs 40 sångare. Eller varför inte 60 sångare men det innebär ju att sådana som jag går in och stödköper tenorer. Jag brukar få hyggliga tenorer för mellan 2 000 – 3 000 kr per uppsjungningstillfälle – utan kvitto – och då ingår två övningar och kanske lite privatövning."

"Smygsolister kommer ju inte sällan från motettkörer eller kammarkörer" konstaterade Rot-Leif och verkade en aning uppnäst när han sa det det vill säga mallig.

"Ja, jag tycker nog att jag/vi tänkt till en hel del", sa Steve men kommenterade inte i övrigt Rot-Leifs utvikning.

"Okej, fortsätt," sa Rot-Leif och läppjade nu på sin algshot med ekologiska alger från Bohuslän och ett rött vinbär från Hälsingland, trakterna av Ilsbo.

"Vidare är det livsviktigt att kören avhåller sig från i vart fall parfym men klarar man inte av en deodorant så får man nog hitta på något annat att göra", sa Steve och lät lite lätt ironisk.

"Inte heller skall vi tolerera att någon i kören luktar snusk eller klär sig som en slusk. Kyrkan är ofta väldigt snäll och human samt medmänsklig på alla sätt MEN man måste också ta hänsyn till kollektivet och inte bara till den enskilde. Sångare i slafsig stortröja och löst hängande snickarbyxor på julafton var förkastligt och får aldrig upprepas," sa Steve och kände hur han blev opassande röd i ansiktet. Vi måste se till att vi upprätthåller det gamla hedervärda begreppet "hel och ren" men självfallet inte överdriver. De med svettrubbningar och andra problem måste ju också få sjunga i kör. Och alla måste få sjunga i en kör men det är inte lika självklart att man sjunger i en kör som uppträder om man dels inte kan sjunga och dels inte ställer upp på den klädkod som bestäms vid varje uppsjungningstillfälle,

"Håller helt med. Hur var det möjligt att det passerade", undrade Rot-Leif.

"Ja, det kan man fråga sig men jag skyller inte på vare sig Carola Kilt eller Lady Gaga för det här för de är för snälla-även om CK är lite snällare än LG.

"Ok kör på så får vi se vad du mer har på lut-fisk", skojade Rot-Leif och log så att den illgröna alg- shoten blev helt synlig i hans högra mungipa.

"Alla skall på sikt kunna noter", fortsatte Steve men samtidigt så skall kören på lite längre sikt klara sig utan noter så att de kan titta på dirigenten och inte på sina noter. "Vi har ju den mycket musikaliske Goran Ullfager som hela tiden lyckas ordna ljudfiler till sångarna med hjälp av sitt notprogram på keyboarden. Det är förtjänstfullt och brukar rendera honom en extra rökig whisky varje terminsavslutning. Men problemet med ljudfiler," fortsatte Steve kan ju vara att körledaren byter tonart och då blir det ju genast bekymmer. Därför måste ljudfilen vara ett komplement till väl fungerande notläsning även om den tidigare så bråkiga Kyngva Kjol:s alter ego Känga Käft var beredd att avstå från nymålade naglar varje månad för att få sjunga utan noter. Här märktes det att det var en känslig fråga för Steve Emfors och det var trist att hon körde en "forskare" och straffade ut sig själv ur berättelsen för att slippa de så nödvändiga karikatyrer. Utan karikatyrer dog berättelsen. Hur skulle det se ut om den kände satirtecknaren Ulf Ivar Nilsson blev alltför snäll när han karikerade verkligheten och diverse politiker med flera.

"Mycket bra mycket bra" sa Rot-Leif entusiastiskt. "Du närmar dig snart första betalning för eget gryt", sa R-L uppmuntrande. Ett gryt var helt enkelt ett rum under mark och Steve ville väldigt gärna ha ett sådant gryt och det kunde Rolle ordna. Det var ju det som i huvudsak gav honom hans många miljoner.

"Jo, man måste också ha enhetlig klädsel, särskilt

vid de mer tunga uppträdena, och då talar vi inte om enhetliga kläder i allmän och diffus betydelse utan dräkt för kvinnor och kostym för herrar och snygga sjalar för damerna och snygga sidenslipsar för herrarna. Blir det för dyrt för en del är det bättre att vi har kåpor som jag dock själv tycker är lite ålderdomligt men enhetlig. En snygg kör leder också till att de som lyssnar tror att kören är bättre än den är och ger mer kollekt. Inte att förakta", konstaterade Rot-Leif och såg ut som om han trodde på vad han talade om.

"Bra, bra, mycket bra", sa Steve. "Nu bara några ord på vägen. Jag älskar kyrkan och tycker att de gör fantastiska saker och jag har varit med om fantastiska upplevelser i kyrkan men problemet är att kyrkan saknar "sjukdomsinsikt". De vet inte hur långt det gått med en krackelerande körsång och personer som blir allt äldre. Man tvingas ta in medlemmar som inte kan sjunga och bara är med av sociala skäl, mutantsångare ökar i antal men inte riktiga sångare, och dessutom stör mutanter och falska sopraner andra körsångare. Det är ett stort och växande problem. Medelåldern kan inte fortsätta växa som det gör nu. Man kan inte låta bli att aktivt försöka nyrekrytera körsångare."

"Kyrkan delar ut blomsterkvastar till höger och vänster och har diakoner som är väldigt påhittiga men inga, såvitt jag känner till, håller på med rekrytering på professionell nivå. Man är sig själv nog och byter ut kunskap mot "generationskörer" och annat löst tillsatt bjäfs bara för att ha någonting att bjuda sina fåtaliga och lomhörda besökare på.

Det måste få kosta att hålla sig med en bra kör. Jag talar inte om elitkör utan om tillräckligt bra TBK-kör. Det är därför jag vill få till ett "Dreamteam". En kör med mycket bra sångare men fortfarande inte elit utan goda och motiverade amatörer som känner sitt värde. Med gemensam vilja kommer det här att lyckas men det krävs en handbok och det är den som du skall skriva åt mig. Om vi kan ordna ett "privat" dreamteam så kanske det kan stå modell för kyrkans eget dreamteam och där man lär sig att låna in sångare för att få fungerande stämmor. I grunden handlar det om en slags "bilpool" med körsångare och det innefattar även inhoppande dirigenter. Vi bryter där", sa Rot-Leif och kastade sig i den pool som gömde sig under den stora persiska mattan. De båda vännerna skildes åt. Steve tog hissen upp till markytan och begav sig hemåt på sin flakmoppe. Nu hade han gjort sig förtjänt av en singelmalt, som var minst tio år gammal, konstaterade han nöjt när han trampade igång flakmoppen och begav sig hem mot bostaden i Mary- distriktet.

Kap 8

FROMMARE KAN INGEN VARA

Lite om körmedlemmarnas vardagsbestyr.

Steve insåg att om man skulle kunna skriva något någorlunda läsbart om svenskt körliv i förändring, så måste man också beskriva körens medlemmar. Han började med sig själv.

Steve Emfors kände sig ganska missbelåten efter gårdagens final inför Eurovision Song Contest. Han hade tyckt att Nano skulle vinna MEN det tyckte inte hans högexplosiva fru Belinda – Pretty Belinda – och därmed hade han gjort bort sig. Det fick till följd att Belinda vägrade ta emot Steves nypoppade popcorn med egenhändig smörsmaks-topping. Det innebar också att han inte blev killad i nacken som brukligt var. Kunde han inte göra Belinda glad på något sätt så skulle han obarmhärtigt förpassas till Karl Oskars "Stuta Bås" utan tillstymmelse till "Mod i barm". Steve tyckte väldigt illa om att bli kallad toffel men i grunden var han väl en toffel i den bemärkelsen att han brydde sig så mycket om vad Belinda tyckte och förringade oupphörligen sina egna behov. Han tyckte rent av om att späka sig själv och såg sig också som en masochist.

Carola Kilt hade det skönt under fällen. Hon var kvarlämnad ensam i parhuset i Bauhaus medan maken Mikke med döttrar var i idrottshallen i Bauhaus center och spelade badminton. CK försökte också spela badminton, då och då, men insåg att hon inte hade talang. Däremot hade hon talang för boule och älskade när hon fick spela boule tillsammans med Maria Cat och hennes kompisar Anela Mat och Gun the Gun. Den senare var ruggigt bra på boule men bara med vänsterkast eftersom den högra armen var skadad.

CK var irriterad över att Steve ännu en gång hade tagit initiativet alldeles för tidigt med körresa och dessutom hade mage att försöka förmå henne att påverka den snälle Fader Sven och utverka respengar till i vart fall middagen och helst lite till. När det gällde *Gevalia gospel* var det en annan sak. Då var det väldigt lätt att bara kasta ut 200 kr per näsa till anmälningsavgift till de som var med där oavsett om de passade in eller inte men körresa? Visste inte Steve att man hade en kassa och den skulle räcka till allt. Lade man en massa pengar på körresa så skulle det kanske göra att den underbare saxofonisten Åke Ål inte kunde kontrakteras eller familjen där alla spelade hellre än bra etc uppträdde och fick, mot alla odds, betalt för det.

Det var inte särskilt fromt att åka till Åland med modernt kryssningsfartyg och fromt skulle det ju vara i en riktig kör som hade inslag av både *Pilgrimsfantomer* och *Retreat- rebeller*. Dessutom var ju inte initiativet från CK.

Och inte heller från fader Sven och än mindre från CK:s syster nyckelharpsspelaren Carola Kult från Malung. Tur att syrran var på ingång, så man kunde ta sig ett rejält tjejsnack om det här sociala övergreppet från Steves sida. Höll han på så här, så skulle hon med glädje lämna över "Guldet" i "Kristina från Duvemåla" till Börje Barsk, så att han fick sjunga tre sånger i stället för en. Steve hade visst inbillat sig att Barsk inte skulle vara solist överhuvudtaget men där bet han sig i stortån.

Det Steve Emfors hade så svårt att begripa var att det var körledaren som bestämde repertoar och hur mycket av anslaget man fick som gick till själva kören och hur mycket som gick till solister och noter. Först skulle man se till att solisterna hade sitt och då kändes det ju extra bra om man kunde gynna sina egna och de man kände för som Gunnar och andra favoriter. Om de var särskilt bra spelade mindre roll inom kyrkan.

I grunden hade kyrkan väldigt låga ambitioner och det tyckte Carola Kilt var bra. Man kunde slänga in nya körmedlemmar som inte kunde sjunga, lite då och då. Det fick kören stå ut med. Det låg en fara i en kör som blev alltför tjenis med varandra. Därför behövde man fylla på med nya körmedlemmar och det gjorde att vissa gamla slutade som Lady Di. Det var helt ok.

CK kunde kanske framstå som lite velig och lite from och snäll i största allmänhet men hon kände till sina rättigheter. Hon hade också stöd av Fader Sven och flera andra makthavare inom kyrkan. Hon var en kvinnlig motsvarighet till Karl den XIV:e Johan. En kung som visste att det var han som ledde folket och det oavsett vad Norge tyckte om honom. Att han aldrig blev krönt i Norge struntade han i. På samma sätt struntade CK i Steve Emfors körresa och andra "hyss" från Emfors. Vem trodde han att han var?

Hon hängde med och lyssnade på när de andra sjöng karaoke på Bilagan – så långt kunde hon sträcka sig – men själv sjöng hon inte. Hon skulle ALDRIG förödmjuka sig genom att sjunga där. Hur skulle det se ut?

Hon blev ilsk när hon tänkte på den jobbiga situationen. Tänk om någon då skulle tycka att hon inte var så bra sångare som hon i själva verket var.

Nu skulle hon bara slappa med sin syster och ha det bra. Nästa gång hon träffade Steve skulle hon sätta ner foten ordentligt, även om det kunde innebära att han skulle hoppa över ett antal övningar. Vad gjorde väl det. Hon hade ju Börje Barsk, som alltid ställde upp på henne och aldrig krånglade, och hela 80 plus-falangen. Där hade hon sin styrka. Steve var rebell och Anela Mat var rebell men de andra hade hon på sin sida. Den saken var säker.

Anela Mat hade varit på shopping-utflykt till Mary Center och handlat både Arboga Leverpastej, ris-gröt, Aftonbladet och passerade tomater samt skivad Jalapeno.

När Steve Emfors skulle komma och hälsa på och diskutera "Fromhet inom körverksamhet i ett holistiskt perspektiv" med bara henne så ville hon vara förberedd. Hon skulle bjuda på ostsnittar med en skiva gorgonzola och godsakerna hon köpt i dag skulle komma väl till pass en annan gång.

Om Steve cyklade, vilket hon hoppades, så skulle hon också bjuda på Ingefärs shots, som var så "himla nyttiga" med mycket Koskenkorva.

Hon såg fram emot detta möte och höll inte för otroligt att det kunde bli något "grabbigt" för en Amazonkvinna som Anela Mat. Lite senare på kväl-len skulle hon få besök av en "kamrat" vid namn Börje Bäver som sjöng bas i Streambridgekören och var god vän till Gun the Gun och Gode Gunnar.

Det skulle bli så fint att diskutera fromhetens vara och inte vara med Steve Emfors och ha fader Svens filosofiska betraktelser som utgångspunkt för fromheten. Själv kände hon sig som en 8:a på en tiogradig fromhetsskala eftersom hon dels tog nattvarden varje gång hon var i kyrkan, dels tände ljus för de saliga när hon var i kyrkan samt även lärt sig nya Fader Vår som var så svår. Inte heller var hon främmande för korta "retreats" men däremot hade hon svårt för att göra korstecken i samband med att hon gick in i kyrkan.

Plötsligt hörde hon inte ett knackande på dörren som hon borde höra utan i stället ett bräckljud när någon tog sig in med kofot. Vad var det för nöt som var i farten? Anela Mat gick fram till den sönderbräckta dörren och brast ut i ett gapskratt. Tänk att Steve alltid skulle skämta. Det var något tvångsmässigt över detta skämtande. Han borde nog gå i terapi. Kanske hos Li(s)za Luzt? Hon hade rykte om sig att vara duktig och hade hårda nypor.

Kap 9
DET VÅRAS FÖR FROMAGEFOLKET

När Steve hade varit på Waynes som protokollförare så kom han på att en elitliknande kör med bra omfång och bra balans måste innehålla inte bara ett antal goda sångare utan även sångare med olika "fromhetsgrad". Detta för att skapa den musikaliska "kropp" och "balans" som skulle vara en tillgång i tävlingssammanhang, för tävla måste man. Det hade han kommit fram till efter att ha talat med Bengan Oljerud som ledde ett flertal olika körer runt om i Gevalia och som var en stor musikprofil i Gevalia.

Efter att ha läst "Chateau Vadå" insåg Steve att det svenskar lurades att dricka i sina boxar var typiskt vinkobbel. Ett slags gluhwein i Sverigetappning. På samma sätt gällde det nu att få till en "körkobbel" som var smaklig och rensad från skriksopraner och "pratbasar" som hellre pladdrade än sjöng.

För att styra upp frågan om Fromhet bland de fromma 'fromagefolket' så hade han tagit hjälp av Li(s)za Luzt – som rent allmänt var den viktigaste spelaren när det gällde graden av blandning – samt förstås Gun the Gun, Anela Mat och Maria Cat. Nu ville han vara herre på täppan, hur svårt det än skulle bli, genom att försöka bli utsedd till ordförande i den församling där frågan skulle diskuteras. Mötet hölls den här gången på övervåningen av "Burned Bananas". Det var ingen tillfällighet för en av ägarna, John Is, var väldigt from när det gällde musik och kunde inte för sitt liv tänka sig att lyssna på "Mellot". *John var lika musikaliskt from som en damtoalett på ett franskt nunnekloster. Och det vill inte säga lite,* tänkte Steve Emfors där han gick i sina ordförandedrömmar, med ett Höganäskrus i miniformat runt sin hals.

Tio minuter senare var alla samlade och mötet kunde börja.

"Välkomna hit. Husets Herre har extrapris på grönt te med jasminsmak och därför tog jag mig friheten att beställa en så from dryck till en så här from skara" sa Steve och log mångtydigt. Låt mig först som sist säga att jag delar in körsångare i "Fantastiskt fromma", "Frejdigt fromma" och till sist "agnostiskt fromma", lite Tomas tvivlaren. Sistnämnda grupp tror inte så mycket på att det går att få ihop en kör som både kan vara fromma och kunna sjunga samtidigt.

"Vad tycker du att du är, Li(s)za Luzt?"

"Nja, jag är nog i grunden ganska frejdig men samtidigt så går jag ju på pilgrimsfärd och jag ägnar mig

46

ofta åt retreat. Jag läser också min "Tro i hållbar utveckling" av fader Sven och sedan tar jag upp ett kapitel i taget i väldigt fromma samtalsgrupper. Det ingår ju i min coachning.

"Okej, då vet jag och kan vi enas om att Maria Cat och Gun the Gun är frejdigt fromma för Ni delar ju ut blomsterkvastar till höger och vänster efter uppdrag från kyrkan. Ni är också volontärarbetare i Streambridge så en och annan våffla blev det kanske i helgen som var?

"Vad hände då? " undrade Anela Mat, som vanligt hade lite matrester i sin mustasch som hon glömt att raka bort på ett tag – det skulle ske när hon fick tid hos kvinnan som tog bort *generande hårväxt* i andra magasinet längs Gevaliaån – och inte riktigt hängde med. I grunden var hon oerhört smart och med i Sonta och andra intelligensförenigar men hon var också mycket, mycket disträ.

"Vi hade loppis och våffelförsäljning och hade stora problem med "pangsjisar" som trängde sig," upplyste Maria Cat.

"Ja, det var inte riktig militär disciplin" upplyste Gun the Gun. Hade jag varit bas för basset hade det blivit andra bullar och inte några frasvåfflor.

"Ok då vet jag, sa Steve. Kan du då GTG säga hur from du är?

"Nja? Inte så lätt att säga? Förr i tiden spöade jag ju upp Gode Gunnar på den tiden han var "Galne Gunnar." Men det var ju innan han fick ärva och delade med sig så generöst till mig att jag kunde köpa en jacuzzi till min relaxhörna bakom villan i Streambridge. Nu är jag nog betydligt frommare. Kanske på gränsen till "Fantastiskt from" för jag tar nattvard varje gång jag är i kyrkan och jag tar enbart ur kalken med alkoholfritt vin. Jag har gått på retreat minst 1 gång per månad sista året och funderar även på en "pilgrimsvandring" mellan Frankrike och Spanien."

"Se där, se där. Bra jobbat, sa Anela Mat lite ironiskt. Hon ville verkligen göra fler fromma saker men tillvarons taggiga trasslighet hade henne alltför ofta i ett hårt grepp, både i jobbet och privat. Hon sken upp och sa:

"Ingen slår mig dock i kyrkrodd i Undersvik. Tre gånger bara i somras, så är inte jag en "fromgroda" så vet jag inte vem det skulle vara?" sa hon och log introvert.

"Men det var väl bara när Rune Rodd var Rorsman" sa Gun the Gun. Som plötsligt inte alls verkade så from med tanke på hennes benägenhet att från och till komma med dräpande repliker gentemot sina körkamrater. Det hade ju Steve Emfors själv fått erfara.

"Mitt förslag är i alla fall att vi låter alla de som är tänkta för Gevalia Dreamteam med Bengan Oljerud som körledare fylla i en gallup. Där tar vi upp vissa viktiga parametrar rörande fromhet. Det bör ju innefatta för eller emot Mellot. För eller emot karaoke. För eller emot pilgrimspromenader och retreat och lite annat som till exempel om man skall kunna noter eller inte? Skulle du Li(s)za Luzt kunna tänka dig att utforma den frågelappen, som ett komplement till ditt pågående arbete, så får vi andra hjälpas åt att dela ut den till tilltänkta sångare. Jag tror vi väljer sångare ur Den där Marykören, Streambridgekören, El Tomasokören och Oljeruds pärlor för svinkören".

"Visst kan jag göra det", sa Li(s)za Luzt som var glad att hon fick en rejäl uppgift vid sidan om den hon redan fått, och inte bara vara med i Marykören av sociala skäl som att äta och sjunga karaoke på ett grabbigt sätt.

"Glöm inte heller att vi skall försöka ha en balanserad kör med 10 - 15 sångare i vardera stämman och en mutant på två stödsångare samt tre solister per stämma," upplyste Maria Cat som kände att hon var verkligt motiverad för att vara med i det "Dreamteam" som var på väg att bildas. Kören tackade för sig och för det goda gröna teet och fick en from blick av John Is innan de lämnade "Burned bananas"

Kap 10
KÖRRESOR VI MINNS

Skrivandet rullade på för Steve och för varje
gång han på allvar tänkte på körverksamhet dök
det upp nya ämnen som han skulle kunna skriva
om. Det tråkiga och tröga skrivandet var på väg att
bli en evighetsmaskin. Det gällde bara att sätta de
olika ämnena på pränt. Ett av dem var "Körresor vi
Minns".

Steve tänkte med glädje och nostalgisk tillbak-
ablick, med en liten tår i ögonvrån, på alla de resor
de olika körer som han varit med i fick göra under
förra seklet och närmare bestämt under- 80 och -90
tal.

Då var det inga problem att åka till Helsingfors
på den då stiliga båten Cinderella. Då var det inga
problem att hyra en buss och åka till Norge och bo i
Trondheim och inte betala själv och ha en massa åks-
juka damer liggande på golvet utan säkerhetsbälte.
Nej betalade det gjorde den generösa kyrkan för des-
sa körresor som ofta var på 3 - 4 övernattningar. Två
resor till Estland i Öster blev det också och även till
Prag med tåg men den resan hade han nog betalt själv

trodde han och det var ju med Concordkören. Nu för tiden fick man vara glad att den tidvis ganska smaklösa onsdagssoppan inte kostade mer än 40 kr. Kyrkan var snål. Genuint snål även om det växlade från församling till församling. Mary kyrkan verkade ha sämst ekonomi medan Homebridgekören hade gott ställt. Nu i höst blev man bjuden till Gevalia konserthus och då kostade biljetterna 700 kr/person om man inte var medlem i kören.

När det kommit i gång med "The Dreamteam" och när kulorna börjat rulla in för uppträdanden man gjort så skulle man kunna göra nästan vilka körresor som helst. Kanske kunde man rent utav göra en resa till Tanzania och till Zanzibar med deras fantastiska hotell och fantastiska stränder?

PÅ WAYNES

Det s k järngänget träffades ofta. De träffades också utan Steve. Minst en gång i veckan hade man sina möten för att diskutera projektet med att göra en kyrkokör "rumsren" och duktig. Något att vara stolt över. Nu satt alltså "järngänget" – de som skulle vara med och forma ett dreamteam – på Waynes coffeehouse i Nordeahuset och språkade.

Gun the Gun var sammankallande och med på mötet fanns Maria Cat samt den nya körmedlemmen Li(s)za Luzt, som först tänkte se hur kören fungerade socialt innan hon beslutade sig för att gå med vid högtidliga tillfällen och sjunga på särskilt fromma tillställningar som vid biskopsinvigningar. Hon hade inget emot att sjunga på också mer profana tillställningar, men av kollegiala skäl så skulle hon börja med att medverka i sakrala sammanhang. Eller när fader Sven hade skrivit en ny barnvisa av extra mustigt slag.

Redan nu hade hon med den äran bidragit när Carola Kilt gjort en av sina berömda räder för att få ihop en "skrapihop kör/generationskör" med bara vuxna eller nästan vuxna.

Gun the Gun ringde i en lite kobjällra, som hon köpt billigt på Erikshjälpen, och äskade tystnad trots att det inte var en retreatsammankomst när man bara skickade lappar till varandra utan att röra på läpparna. Det som var så populärt bland "fromagefolket" och ett av Marykyrkans paradnummer.

"Till ordningen mina damer och Steve vid protokollet. Och du behöver inte tycka till om det inte blir omröstning. Har du förstått?

"Absolut! Jag skulle aldrig drömma om att öppna syreintaget med så mycket fägring vid min sida så väl i höjdled som sidled om Ni inte krävt det av mig.

"Bra! Till saken! Vi skall åka på s k körresa och det är en öppen körresa vilket innebär att inte bara "Den där Mary - kören" skall åka utan även Steambridge samt Homebridge och vänner.

Vi åker den 15 juni med Birka Stockholm f d Paradis och vi åker buss till och från Gevalia om jag får bestämma?

"Men blir det inte lite dyrt undrade Kyngva Kjol. En del kanske inte har råd och då blir det ett väldans liv.

"Bra tänkt, Kyngva men jag hade tänkt att vi kunde sätta Li(s)za Luzt på att bearbeta fader Sven Jr med lite massage mot hans nackspärr och sedan droppa ämnet att varje körmedlem skulle få ett resebidrag på 500 kr om man samtidigt lovade att köpa hans bok : "Redbar tro i helig utveckling"

"Oh, så bra! Så förtjusande bra", sa Maria Cat och höll så när på att sätta en kaksmula i vrångstrupen när Anela Mat, sen som alltid, kom dragande med en pensionerad, lätt sinnesförvirrad präst som hon haft som lärare när hon gick kursen "Så tuktas en arg Bagge."

"Borde vi inte kolla om det blir billigare till Limön, undrade Kyngva Kjol försiktigt. Eller Söderala. Den utflykten var ju otroligt bra. Tänk att få se Norrala och sedan dö och Skärså. "Tillbaka igen, yen, gen till lilla Skärsö", sjung hon och log glatt och var inte det minsta ironisk eftersom hon kom från Hälsingland.

"Jag har för mig att texten var lite annorlunda", sa Steve Emfors som fått en Caffe Latte för att han skulle hålla tyst.

"Vad sa jag", sa GTG och de andra log okynnigt mot honom.

"Limön är ju också fint och även Norr-Ala", sa Maria Cat men jag håller med GTG om att det vore väldigt spännande att ge sig iväg på lite "X trafik" med buss till Stockholm.

"Nåväl, då undersöker jag kostnader för buss och hytt och mat och sedan kollar Li(s)za Luzt om det går att utverka ett resebidrag. Hon är ju den som å tjänstens vägnar har bäst kontakt med Fader Berg och kanske är bäst på att "mjölka" någon obskyr fond skapad av någon för länge sedan avliden musikälskare.

"Tack alla och nu får även du prata", sa Gun The Gun och spetsade kaffet för alla damer som inte körde bil och sedan sjöng man "Helan går" så vackert att det blev extranummer med både "Halvan" och "Tersen".

Kap 11

KULTUR OCH KÖR

Ännu en vecka av det nya året var på väg mot
sitt slut. Ännu en vecka med fullt program för Steve
med arbete, familj och fritid. I söndags hade han sett
Bizets "Carmen" i gasklockorna i Gevalia. I tidigare
version av Marykören så hade man åkt till Stock-
holm och sett både opera och musikal men det var
på den tiden som kyrkan satsade på sina körer. Det
gjorde man sällan nu. Ofta var man dumsnåla på ett
sätt som var obegripligt för då fick man inte heller
några bra körsångare. Bra körsångare var kräsna och
ville att kyrkan skulle ha råd med en sjal eller slips
som man fick ha hemma, men i Marykyrkan skulle
allt hänga där för säkerhets skull. Inte ta hem inte.
Sorgligt konstaterade Steve. Inte heller bjöd man på
en biljett till Carmen. Det blev för dyrt alldeles för
dyrt. Nej, hellre då Söderala eller Limön. En tur till
Eckerö kunde också gå bra för det var ju nästan gra-
tis.

Homebridgekören hade dock för vana att bjuda på
en inträdesbiljett till Carmen eller något annat dyra-
re evenemang. Det hade dock dessvärre inte lett till
att man sugit åt sig duktiga körsångare. Man hade

dem man hade och det fick vara bra så. En helt vanlig kyrkokör. Varken bättre eller sämre men en kör som definitivt skulle må bra av att man tittade lite närmare på den för att se hur den kunde förbättras. När det gällde tydlig dirigering så fanns dock inget att klaga på. Lady Gaga var duktig och bestämd.

FÖRESTÄLLNINGEN

Steve förundrades över hur duktiga amatörerna var. De var inte bara duktiga på att sjunga utan även på att agera. Mäktig föreställning men väldigt långt fram till pausen, två timmar, på de illa klädda stolarna. Steve led svårt av att han inte hade tillräckligt "fendrande" stoppning av skinkor och lår. Så långa stunder på stol utan rätt att förflytta sig var inte riktigt hans grej. I kören fanns flera som han kände igen. Bland annat körledaren Bengt Oljelund.Vidare en dam som varit med i "Trevnadskören" i Mary församling och flera andra. Duktiga var de så det räckte och Steve hade gärna varit med, men han insåg att det skulle ta alldeles för mycket tid i anspråk. Det hade han fått klart för sig efter att ha talat med Markysinnan, och det skulle inte accepteras av hans kära hustru Belinda så länge man hade relativt små barn.

Annars tyckte nog Steve att sådana här projekt var

bland det bästa man kunde ägna sig åt för här fanns ju körsångare som kunde sjunga på allvar och som vågade sjunga ut och som var motiverade.

Han antog att det var samma sak med Gevalia Gospel. men där handlade det om att vika en hel helg och troligen en del övningar utöver det. Den tiden skulle nog också komma. Nu handlade det återigen om att få medarbetare som hjälpte till att "mjölka" den snåla kyrkan så att det blev några trevliga minnen när man tittade tillbaks på det gångna året. Ett alternativ var förstås att skaffa sig egna medel genom att exempelvis ha musikcafé – som Homebridgekören – som gav en del intäkter. Å andra sidan hade Steve hört att Homebridge skänkte det mesta av de pengar man fått in på sitt musikcafé till någon behövande grupp i samhället. Man hade alltså alternativ finansiering och frågan var hur man fick sina pengar. Det skulle Steve ta reda på.

Kap 12
RÄFST OCH RÄTTARTING

Steve insåg att det gällde att handla på alla fronter om det förändringsarbete som krävdes inom svensk körverksamhet skulle komma till stånd. Ett av de svåraste men mest nödvändiga bitarna var att ägna lite tid åt omgruppering.

Steve Emfors hade pratat med fader Sven om det som representerade arbetsgivaren för i detta fall Carola Kilt och han hade även fått klartecken från Mr Q som representerade "funktionärsteamet". Dvs sådana som läste i kyrkan och gick med håven och var allmänt trevliga representanter för den stora gemenskapen som kyrkan bevisligen var för väldigt många människor.

Basarna klarade sig helt helskinnade och fick vare sig krav på omgruppering eller gult kort dvs varning. Däremot fick Börje Bil känd från Lyktan i Hamrånge – en bensinstaion på 80-talet – rätt att sjunga i tenor om han ville och det förutsatte också att han sjöng med Steve eller Börje Båt – Oh Mercy – som 'leadsinger'. Det var ännu inte grönt kort för honom att växla upp till den mycket svårare – tonbildningsmässigt – tenorstämman. Ingen i tenoren la heller in sitt veto i det pseudoparlament som skapats i lönndom för att minska makten för Carola Kilt. Parlamentet hade tillkommit på Steve Emfors och Q:s inrådan men även Börje Borr ansåg att det var viktigt att bilda en paraplyorganisation ovanför huvudet på Carola Kilt. Hon hade helt enkelt varit vingelkantig en gång för mycket och det knorrades i leden över denna velighet, oavsett hur charmerande person hon var som musikalisk ledare och medmänniska.

Tenoren hade lite svårare att klara sig. Anela Mat fick en relativt skarp tillrättavisning för att hon kom och gick lite som hon ville och för att hon även serverade shots med alkohol till minderåriga. Visst hade den blivande konfirmanden – Mimmi Mandela – sett äldre ut än sina 14 men Anela Mat hade glömt att googla hennes ålder och då gick det som det gick. Ture Ton fick beröm för att han bytt ut batteriet till hörapparaten i höger öra som var det viktigaste örat när det gällde körsång, men att han kunde försöka vara lite mer uppmärksam vid känsliga avslag så att han inte fortsatte att sjunga efter att Carola Kilt nickat till.

Ture hade en vän i viken i kören genom Liza Last, som var alt och som gärna såg till att han fick hjälp med att plocka fram noter och tillse att de inte låg upp och ner i pärmen så att TT slapp bläddra så

60

förtvivlat. Hon bodde i samma område som TT och lovade att hjälpa honom att krysta ut ljudfiler från Goran Ullfager som försåg alla körer i södra Norrland med körfiler i rätt tonart. I dessa filer fanns musikaliska stopptecken som gjorde att man kunde öva in när man skulle sluta sjunga.

Det var en fördel när man var 80 plus och hade längre stoppsträcka än de som ännu inte fyllt 70. Den gruppen var dock mycket sällsynt i Marykören.

I sopranen var man tvungen att ta till lite tjuv och rackarspel eftersom man inte ville tala om för Fia Forsk att det fanns en subversiv gruppering inom kören som försökte undergräva den auktoritet som Carola Kilt borde ha men inte hade. FF umgicks med Carola Kilts man, Nore Norsk, som var bördig från Danmark och var vän med med Fia Forsks man Fjodor som ingick i samma Matlag i kollektivhuset på Batterigatan. Nu åkte hur som helst mistluren Sara Sol ut och blev omgrupperad till sångkören "Hälsa för halsen". Hon fick ett avgångsvederlag på 2 000 kr, betalt av Rot-Leif för att hon inte överklagade omgrupperingsbeslutet. Sopranen Wartzava Wolf fick ett gult kort för att hon inte sjöng ut ordentligt och samma var det med Kjyngva Kjol för att hon fem år i rad vägrat att lära sig mer än de tre första tonerna i skalan-hon ansågs därmed ha CDE-

61

hd syndrom.

Efter att denna åtgärd vidtagits kände sig Steve Emfors mycket nöjd och så även Q och Rot-Leif var glad över att han kom undan med att bara betala ut 2000 kr i övergångsarvode. Rot-Leif firade utgiftsvinsten genom att bjuda Steve, Anela Mat och Gun the Gun på lite barskakning på Burned Bananas(BB). Anela Mat hade bjudit Gun the Gun på äggtoddy från frigående höns i Alsbo, så de damerna var ganska bladiga redan när de kom till BB. Å andra sidan var det ofta svårt att avgöra om Anela Mat var berusad eller nykter eftersom hon gick på ganska stark hostmedicin som innehöll både lugnande och alkohol.

Hur som helst hade sällskapet en härlig stund tillsammans och sjöng barnvisor av Fader Sven och Gullan Bornemark och när sällskapet suddat klart erbjöd sig Steve att skjutsa hem Anela Mat på sin flakmoppe medan Gun the Gun som vanligt följde med Rot-Leif hem till Stor grytet i Homebridge skogen. Hennes make, Gode Gunnar, var på eldsläckningsträff i södra Sverige, så honom behövde hon inte oroa sig för på några dagar.

Kap 13
SKRIVANDET

Skrivandet hade gått dåligt i februari. Nästan sämre
än sämst. Steves ambition att skriva något om kören
3 - 4 dagar i veckan hade helt kommit på skam och
nu skulle det troligen dröja till maj innan han hade
någon typ av manus klart som kunde sättas på pränt.
Det skulle verkligen behövas för hans självkänsla att
få till något. Om än bara ett manus på 100 - 150 sidor
trots att det borde vara på minst 250 sidor vid det här
laget. Det var ju bara att göra som fader Sven, den
där Mary - herden som också var filosof. Dvs hitta
ett 20 tal rubriker och skriva 3 - 5 sidor om varje
rubrik och sedan var historien i hamn. Mycket smart
och överskådligt. Själv skulle han kanske behöva 30
rubriker för att få till önskade 150 sidor. Från och till
trodde Steve inte alls att det var just han som skulle
skriva "bibeln" för körsång och livet i en kör. Hans
mormors ord ringde i hans öron: "Du skall inte tro
att just du är bättre än en någon annan." *Du skall inte
tro att du är någon körsångare av värde. Du är bara
en enkel, sliten bonde i livets koristiska schackspel.*
Så sa hans inre röster. De var sällan nådiga. Hans
överjag hade alltid plågat honom och sett till att han

hade skuldkänslor för allt mellan himmel och jord, men nu var det värre än värst. Det var tydligen en del av åldrandet att dels plågas mer av skuldkänslor och dels inte tro på sig själv i samma utsträckning kanske som när man var 40. Å andra sidan mindes man ju inte det, så det var svårt att sia om hur stor den egentliga försämringen varit.

Rösterna från överjaget var mycket motstridiga. Å ena sidan sa de att han kunde komma hur långt som helst – det ska gå, det måste gå sa det lilla Blå tåget – medan de andra "Rot-Leifvänliga" rösterna tog ner honom på jorden. Och under tiden kom han inte vidare vare sig rent musikaliskt eller kunskaps-mässigt. Det var bara att inse.

Nu var det dock inte hans egna sångprestationer som skulle mätas utan det var att skriva om vad som hände i kören och varför. Det kanske var dags att börja. Han kunde ju ta den övning som var i onsdags för att komma på något.

ONSDAGSÖVNING

Carola Kilt var lika oemotståndlig som alltid i sina fräsiga, lite gammaldags, "Madickenkläder" som föll så vackert över hennes väna väsen. På gott humör var hon alltid och lika förvirrad som alltid när hon skulle försöka förklara varför det blivit fel när

64

hon kopierat och ord hade hamnat på fel rad. Tydligen skulle sista ordet på rad tre flyttas till rad fyra men helt säker var Steve inte. Carola var en suverän pianist och förtjusande på alla sätt men det där med att förklara var inte riktigt hennes grej. Hon var ingen Lady Gaga -- i Homebridgekören – som alltid hade svar på tal.

Steve hade "öppet köp köpt" 10 slipsar på Ascot, i Gevalia centrum, för en spottstyver, 1000 kr. Italiensk siden. Röd botten med blommor. Skulle passa bra när man sjöng "nu grönskar det i dalens famn" och andra blommiga låtar men kunde även fungera till advents-och julkonserter.

Steve fick herrarna med sig och varje körmedlem köpte helt sonika sin egen slips för 100 kr och betalade till Steve. Hade kvinnorna fått samma möjlighet var Steve övertygade om att det inte blivit något inköp om *inte körkassan* betalade.

Damerna var mycket mer ekonomiska än herrar när det kom till utgifter och det var väl också därför som den hushållsbudget som damerna höll i höll medan det var mången man som misslyckades när de skulle hålla i plånboken.

En tydlig skiljelinje mellan damer och herrar, således.

Carola Kilt var spontant för tanken på "körslips"

om slipsarna fick hänga i kyrkan. Steve tyckte det var roligare om var och en fick ha sin slips hemma. Han ville stärka körens makt kontra CK –s om tidigare beskrivits – och de andra som bestämde inom kyrkan. Det var därför han också hade med sig lite extra tilltugg till körfikat så att man inte bara skulle hänge sig åt den totalt smaklösa, uppskurna osten och samma gamla trötta kex som alltid. "Limpmacksyndromet" inom kyrkan hade han svårt för. Ibland var fikat så torftigt efter högmässan att han ångrade att han ryckt upp barnen och släpat med dem en söndagsförmiddag för att de skulle få höra "Herrens ord" i "Fader Svens" eller någon annan herdes tappning.

Herrarna var mycket vänliga mot Steve och alla accepterade dels att det här blev en körslips och också att man betalade själv. En välbehövlig seger för Steve.

Nästa programpunkt för att göra Mary - kören till den mest sociala kören i Gevalia var att försöka släpa med dem på Karaoke på Bilagan. Ungefär halva styrkan tyckte att det var en bra idé och det skulle betyda ca 10 - 15 som skulle ställa upp på evenemanget. Steve tänkte höra med Gun the Gun - i Streambridge - och andra om de inte hade lust att haka på. Ju fler desto bättre.

Intressant att se om den här kören var lika pigg på att uppträda som "El Tomaso-kören" när Maggie the Voice såg till att de hamnade där ca 2 gånger per år. Nu gällde det att ringa den där restaurangen och preliminärt boka en tid men det skulle väl reda sig med den saken. Nu skulle han hur som helst ta barnen till Fjärran Höjder för att bada men först dansträning med storasyster. Det var så lördagarna såg ut. Stunderna med barnen var det bästa i hans liv men ju äldre barnen blev ju mer vilja fick de och därför var det inte alls självklart att de ville göra något som Steve Emfors ville göra. Det var bara att *gunga med*.

Kap 14

GULA VÄSTAR I KYRKAN

Steve Emfors hade kallat till möte på Hilda Boms balkong och bad enträget att Gun The Gun, Maria Cat, Liza Last och Kyngva Kjol skulle vara med. Dessa var de mest militanta damerna inom körsången som Steve kände till i Gevaliakretsen. Om det skulle bli något "djävlar anamma" inom kyrkan – som hade så otroligt stort behov av förändring efter att man glott på symbolisk "tjock tv" hur länge som helst – så krävdes det att starka damer skulle vara med. Visst skulle det behövas herrar också men de lyssnade inte kyrkan på i samma utsträckning. Det var som alltid kvinnorna som styrde i samhället, konstaterade han och så även i kyrkan. Det var väl ganska symptomatiskt att den som var högst här i kommunen var en kvinna och biskopen var ju också en kvinna.

Bland män hade behovet av Metoo varit betydligt större än för kvinnor – det visste alla män – men män kunde ofta inte ta för sig. Därför kunde man också lättare få en släng av "Me too - sleven" när damerna kände sig förtryckta trots att det var män som var förtryckta på arbetsplatser, i familjen och i kyrkan etc. Detta gällde vanliga mellanmänskliga relationer och inte brottslighet som misshandel och annat. Att det sedan fanns dårar som kyrkvaktmästare och andra som kladdade på personalen var en annan problematik. Det var ju något kriminellt och något som inte hade att göra med vanligt vardagsförtryck i psykosociala situationer.

"Tack för att Ni kunde ställa upp med så kort varsel", sa Steve Emfors ödmjukt. "Men nu börjar jag bli fruktansvärt trött på allt styrande och ställande inom kyrkan. Det är som om vi körsångare är en skock får utan rättigheter. Vi förmodas stiga upp i ottan för att öva några stackars psalmer, eller slagdängor som vi redan kan. I "Guds vind syndromet" och komma en timma före högmässan och i Homebridge 1,25 timmar före. Själva övningen tar kanske 30 minuter och sedan kan man möjligen på nåder få kaffe men det man glömmer är att det hade varit tillräckligt att sjunga en halvtimma innan och därmed ordna sovmorgon med ytterligare minst 30 minuter och kanske 45 om man bara såg till att stänga kyrkan medan man övade. Det är en sak som jag vill att Ni tar upp med höga vederbörande och det andra är repertoar och hur den bestäms och det tredje är körresor och inköp till körens fromma."

"Ok då har vi en dagordning", sa Gun the Gun

(GTG) som var van att peka med hela handen och fick Liza Last med sig som var den som såg till att det var disciplin i kyrkan och inte en massa obefogade "skojserier" på fika och eljest.

Hon satte dagordningen och gjorde man inte som LL sa så fick man Kyngva Kjol på sig som var "Vilje - ekekutor" för Liza Last.

"Det ligger någonting i vad Steve säger", sa Maria Cat som kunde vara nog så kavat om hon var på det humöret.

"Hur tänker du då" sa Kyngva, Växbos stolthet bland månskensbönder från utomsocknar. Kyngva var fortfarande med då och då, men bara om det skrevs bra saker om henne.

"Ja, det är ju väldigt snålt med körsjalar t ex och helst skall ju de hänga i kyrkan och inte tas hem och skötas om och kännas som en personlig trofé", dristade sig Maria Cat till att säga.

"Kåpor kan man i alla fall inte ta hem", sa GTG barskt. "

"Nej, förstås! Men en körsjal är inte så tung, fortsatte Maria Cat, och den kan man ta hand om och dra försorg om" sa Maria Cat och vi har inga sjåpiga kåpor i Marykören. Det är väl bara Ni i Streambridge som håller på med sådant otidsenligt och fromt larv?"

"Icke, sa Nicke Lilltroll", kontrade Liza Last. Man har kåpor lite här och var och även i Bauhauskören för att ta ett exempel.

"Likadant med slipsar", sa Steve, Vi har fruktansvärt fula, bajsbruna batikslipsar som ingen vill ta i med tång och därför så tog jag initiativ till att köpa in fina italienska sidenslipsar från herrmodebutiken As-cool. Carola Kilt trodde att det kanske gick att betala för slipsarna ur körkassan men bara OM de hängde i kyrkan och inte togs hem. Jag blev så irriterad att jag bad herrarna betala själva för sin slips och det gjorde de så nu har vi faktiskt en körslips som INTE kyrkan betalt och inte damerna eller Fromagefolket – de överdrivet fromma – i nåder köpt in. Hur mycket jag än uppskattar Carola Kilt så kan jag inte låta hennes tankar alltid få genomslag i "fromfamiljen".

"Bra, jobbat" sa Kyngva Kjol. Det initiativet har du all heder av och du har stöd från oss sopraner men jag hörde att en av de äldre altarna tyckte att det var "en kupp" att göra på det sättet.

"Jo, det hörde jag nog" sa Steve roat. "Och den kuppen genomfördes men det behövs fler. Det här med repertoar vill jag ta upp senare."

"Ok! Låt oss diskutera det här vidare men nu tar vi en paus så att vi får njuta av 8:a sorters hembakta kakor som inte är "bak -talade "av någon här på balkongen", sa Gun the Gun och skämdes lite för att hon försökt vara rolig.

Kaffekalaset satte fart direkt efter mötet och höll på i modiga två timmar. Man skojade och glammade och alla försökte se ut som de tyckte om att sitta ute på en balkong. Visserligen hade ju balkonginnehavaren Hilda Bom infravärme men eftersom hon var vinterbadare så ansåg hon inte att det behövdes. Det var också hon som sjöscout i Testebostream var den enda som vägrade krypa in i sovsäcken. Hon låg direkt på marken med bara lite torkat sjögräs som underlag och skydd mot markens kyla. Det var också hon som hade mest bett av rödmyror och skorpioner och ofta var alldeles rödflammig på rumpan under sommarhalvåret. Det kunde man konstatera när hon badade naken i ån.

Hilda Bom var en äkta scout och hade varit scoutledare i många år. Hon hade även tagit med sina telningar till Tiveden i Västergötland, som var alla från Sundsvall och söderut svenska scouters eget Mecca.

Kap 15
MOT LJUSARE TIDER

Steve kände att han hastigt och inte olustigt gick mot ljusare tider. Inte bara bokstavligen utan också mentalt. I januari hade han absolut ingen sånglust och var helt inne på att läsa spanska i stället för att öva skalor och ge upp körsjungandet för alltid. Så blev det inte. Han slutade dock med regelbundna övningar i Homebridgekören. Det blev för stressigt. Han slutade inte helt utan var beredd att hoppa in "vid behov". Steve hade en märklig och egensinnig vurm för att behövas och han älskade om någon körledare ringde honom. Det hände inte ofta men det hände då och då.

Vid närmare eftertanke var ju Carola Kilt med kör ett helt osannolikt socialt kit även om CK inte var den som borde stå för den sociala biten. Det var inte hennes grej och varför skulle man lägga det på henne. Hon var en ypperlig musiker och en ständig solstråle men nöjesgeneral skulle hon inte behöva vara. Då blev det inga körresor. Inte ens till Söderala. Däremot borde han själv vara med och styra och ställa, ingen blygsamhet där inte, liksom Kjyngva Kjol i sopranen, Maria Cat i alten och Börje Borr i basen. Liza Last kunde inte vara med för hon skulle bara bestämma men den där nya Li(s)za Luzt kunde nog vara ett ämne, som altrepresentant om inte Maria Cat ville vara med.

OM KÖRMEDLEMMAR

Steve Emfors ambition var att skriva lite om körmedlemmar i åtminstone vart annat kapitel. Så hade det inte varit hittills. Å andra sidan, så fanns ju inte körmedlemmarna i verkligheten utan skulle vara karikatyrer så därför kunde man ifrågasätta om det var någon mening att skriva om dem överhuvudtaget. Av pedagogiska skäl och för att många var så nyfikna rörande vem som dolde sig bakom porträttet så skrev han lite i alla fall.

ETT DJUP-PORTRÄTT AV LIZA LAST

Liza Last var barn till ett finskt krigsbarn som kom till Sverige 1944 utan sina föräldrar. Fadern var anhängare av de "vita" under finska inbördeskriget och modern röd. I alla fall om den tämligen köttiga näsan och även politiskt. Fadern blev tillfångatagen och förd till Sibirien där han dog av köldslag. Mamman överlevde pappan med 20 år och dog i en förort till Tammerfors. Lisa blev väl omhändertagen av sin mor och kände ingen direkt längtan efter att efterforska sin bakgrund men fortsatte tala förortsfinska (FF) trots att hon kunde skriva och tala svenska hur bra som helst. Hon var också född i Sverige 1960. Liza var gift med kyrkvaktmästaren Pjotr i Streambridge och hade med honom 3 barn. Samtliga vuxna.

På fritiden brukade Liza försöka lära sig jojka. Enligt uppgift hade hon sameblod i sig på sin fars sida. Hon var även intresserad av knyppling samt att måla kurbitzmålningar. Varje sommar brukade hon åka med Anela Mat till Orsa och träna på att få kurbitz kurvorna åt rätt håll. Liza Last hade talang men den saknade Anela Mat i det här fallet.

Mat och kropp: Liza älskade mat och var tämligen omfångsrik och hade kunnat jobba som regntunna om hon varit tom inombords. Hon vägde sina modiga 120 kg men var ändå ganska graciös. Om hon måste välja mellan Lappskojs och renskav så valde hon renskav trots att hon sällan hade problem med fötter som måste plåstras om.

Tandborstning: Här föredrog Liza eltandborste men drog sig inte för en icke elektrisk dito under semester eller vistelse på annan ort än hemorten.

Noter och instrument: Liza spelade kam obehindrat och även altblockflöjt. Det var även det som gjorde att hon valde att bli alt i stället för sopran när hon började sjunga i kör.

Hon hade inte problem att läsa noter och ansåg att noter hade ett egenvärde ett sk notvärde.

Vänner i kören: Lizas bästa vän var Kyngva Kjol och hon gjorde allt hon kunde för att stödja och hjälpa Kyngva som hade lite svårt för sig och inte kunde lära sig noter. Fast egentligen var det nog så att hon inte ville och Kyngva hade å andra sidan ett oerhört starkt muskelminne. En annan vän var Börje Bil och hon hade även lätt att umgås med körledare Carola Kilt.

Volym: På en tiogradig skala kunde kanske Liza komma upp i volym 6 utan att låta illa. Det var relativt starkt men räckte inte till för att vara solist som hon i grunden var men inte ville vara. Hon var ett väldigt fint stöd till Maria Cat som också var solist i botten men även hon föredrog att hålla sig lite i bakgrunden.

Sushi eller pasta: I sitt nya liv, som innebar att hon skulle försöka gå ner 500 gram i veckan så passade sushi bäst även om hon gärna åt pasta Carbonara med gräddig sås.

Aftonbladet eller Expressen: Här föredrog hon Aftonbladet där hon en gång blivit karikerad och hon hade även skrivit under en försäkran till Steve Emfors att hon accepterade att bli karikerad om han lovade att inte skriva något elakt om hennes morfar i Sibirien.

Steve tyckte att han fått en ganska klar bild av Liza Last och insåg att hon var en tillgång och mycket väl kunde ingå i ett Dreamteam men då i första hand i farmarligan. Att hon var lång gjorde också att hon inte behövde stå på gradängerna. Hon passade bra nära Maria Cat som också var lång. Hon var dock betydligt längre än Rikki Kikki Tavi men det fick lösas i ett senare skede.

Kap 16
KORTPORTRÄTT AV TURE TON MM

Ture Ton var social som få och sjöng regelbundet i minst fem körer och så hoppade han in i andra körer dessutom. Han var ingen baddare på noter men han var en baddare på att sjunga högt –volym nio – och han sjöng som han vill och lite till och gjorde vad han kunde för att lära Anela Mat sjunga fel. Och det var ju inte så svårt. I grunden var det väl inte så fel men han sjöng som han sjöng i någon annan kör och inte som CK ville. Stod det piano kunde man vara säker på att han sjöng forte och man kunde också vara säker på att hans avslut kom 1 - 3 sekunder för sent. TT hade väl viss kunskap om att det var så det förhöll sig men det hindrade honom inte från att ständigt förmana Anela Mat att sjunga på visst sätt. Just det där att förmana var väldigt typiskt ofog i alla körer. Det fanns alltid en eller flera som förmanade i kören. Steve hade själv hemska minnen från vissa av "ruggugglorna" i El Tomasokören.

Oftast var det kvinnor som hade denna självpåtagna och minst sagt jobbiga roll. Kvinnor hade alltid bättre koll på sånglogistiken och hade antecknat med *blyerts* ex Vers 1 Alla Vers 2 altar och sopraner, vers tre herrar och vers fyra alla igen. När damerna skrev flitigt så skruvade männen på hörapparaten, petade sig i öronen eller diskuterade hur det gick i en hockey eller fotbollsmatch. Därför så sjöng de flesta av herrarna när de skulle vara tysta och det uppmärksammade *ordningskvinnorna (zippmajorskorna)* genom att vända sig om under uppsjungning när man stod på gradänger eller högt tillrättavisa under övning.

På det sättet kunde herrarna tillrättavisas på ett *korrekt sätt* enligt majorskornas uppförandekodex.

Detta fick ibland till följd att vissa herrar slutade innan de ramlat av pinn eller gick in i dimman. Det var mindre bra för kyrkokörer som mer och mer såg ut som en blivande elefantkyrkogård med *extremgamla* som fortsatte sjunga trots att de var både döva och halvblinda. Det var ju ett av problemen som Steve försökte att åtgärda med sitt skrivande och skulle försöka belysa på ett så pedagogiskt sätt som möjligt.

Bannor utav alla damer, majorssmurfarna, var det som gällde för män, oavsett stämma. Ibland fick Steve för sig att det var en av anledningarna till att kvinnor och särskilt mutanter sjöng i kör. Det var ett kompensationstänkande för bristande makt i hemmet och på arbetsplatsen. Även mutanter tillrätta-

79

visade alltså. De kanske inte kunde sjunga ut själva men de visste hur det skulle låta om man sjöng. Kanske kunde man säga att det var därför mutanter behövdes i en kör utöver att de var väldigt sociala och bakade goda kakor och ofta klädde sig snyggare än de kvinnor som kunde sjunga, som var lite mer malliga och trygga i sin sångroll.

Det slog Steve gång efter annan under skrivandet hur oerhört mångfasetterad en kör var. Det var ju också något väldigt speciellt att ostraffat få tillrättavisa sin sittabredvidgranne. Hur vanligt var det på ex språkkurs?

Ture Ton hade ett väldigt omfång i sin röst. Han kunde sjunga starkt som få men som sagt oftast på fel ställe. Problemet att sjunga för starkt hade börjat med att han arbetat på statens fortifikationsförvaltning och där gällde det att skrika och tala högt om man ville göra sig hörd. Nu var det 20 år sedan han gick i pension men *forte fortissimo* gällde fortfarande för honom.

Om Ture Ton kunde man också säga att han var gråsosse och inte tog i kvällstidningar. Han tyckte om serier på tv men helst något gammalt av bra märke som Bröderna Cartwright eller familjen Flinta. Idrott tittade han gärna på och särskilt skidskytte när det var jaktsäsong. Han motionerade inte så mycket själv p g a ganska allvarliga artrosbesvär. Han läste inte så mycket men löste gärna korsord. Han hade hund men ingen katt och han var änkeman sedan 4 år tillbaks. Han trivdes bra i sin tvårumslägenhet, en bostadsrätt som var fullbetald.

Kap 17
ANELA MAT

Anela Mat var kanske den som var tröttast i kören. I alla fall trött när Steve bad henne att kommentera de protokoll som han skrev och försökte få feed back men Anela protesterade och skrev på Messenger att "hon orkade inte" hon var SÅ trött. Trött blev hon uppenbarligen efter att ha givit unga och gamla råd om sex och samlevnad och delat ut en och annan gratis kondom eller spiral på Nativitetshälsan, där hon arbetade.

Anela Mat var annars – liksom Ture Tran – utomordentligt social och omtyckt av alla, när hon var någorlunda vaken, men det var viktigare för henne att tjoa och tjimma och gärna skratta högt åt något som TT sa än att lyssna på CK. På det sättet kunde hon ibland framstå som lite jobbig. Hon påminde om Börje Barsk som i tid och otid satt och snattrade med Börje Bok med hög stämma.

Barsk var ju förvisso solist-och tillika maskodlare- och den som var mest bekant med CK men det var ingen ursäkt. De sjöng ju och spelade ihop så CK hade svårt att tysta just Börje Barsk personligen. Ibland hände det att Barsk fick med sig både Börje

Borr och Börje Bil i sitt munhuggande och då blev det ingen ordning på något innan Liza Last hutade åt karlarna och fick stöd av Maria Cat.

I grunden kunde man säga att körövningarna var ganska anarkistiska och mest beroende på basarna samt Anela Mat och Tore Ton.

Det fanns också en och annan i sopranen som var ganska yviga av sig. Överhuvudtaget var det här med disciplin en oerhört viktig fråga. Det insåg Steve där han satt och skrev och försökte komma på nya ämnen att skriva om. Kanske att Steve var tvungen att få till en arbetsgrupp med Gun the Gun och Liza Last som tog upp just den frågan.

Om man sedan gick tillbaks lite till Anela Mat så var hon bördig från Haparanda och kunde även tala finska obehindrat. Hon var smärt och smidig, trots sina 1,8 m över havet, och åkte tjej-Wasan varje år. Hon spelade badminton regelbundet. Hon var inte vinterbadare men var ovanlig på det sättet att hon föredrog att bada toppless, precis som man gjorde på 70-talet, om det inte var för många ingående blickar *från herrarna i hagen.*

Anela Mat älskade kyrkrodd och hon försökte åka till *Wonderbay* så ofta hon kunde. Hon talade mjukt och fint och hade ett bra, men lite mångtydigt, kroppsspråk om än lite yvigt och det hände att hon välte ut Ture Tons kaffekopp vid fikat. Hon läste kväll-stidningar och hade tittat på Melodifestivalen och vågade erkänna det öppet. Däremot så var hon mindre intresserad av Smetana och andra antika kompositörer. Hon läste med i trosbekännelsen men kom oftast fel eftersom hon försökte att läsa utantill och det gick mindre bra p g a hennes begränsade minnesfunktion.

När det kom till notteknik så kunde hon läsa noter eftersom hon spelat blockflöjt en gång i tiden. Hon hade dock svårt att komma ihåg hur de lät trots att hon lyssnat på Goran Ullfagers prisbelönta musikfiler hur länge som helst till frukostflingorna. Hon hade problem med sitt muskelminne och hade ingen C E G C G E C i muskelminnet trots att hon gått på inte mindre än 7 koristkurser. Hon kände en rädsla för att hon aldrig skulle kunna ta körkort. Hon insåg att hon egentligen borde lyssna mer på Steve än på Ture Ton men tyckte Steve var lite snobbig av sig så det blev nog inte av. Hon fick leva med sin bristande förmåga att mata muskelminnet med lite olika ramsor för att lättare kunna förstå hur en viss not lät. Hon var dock mycket bättre än genomsnittet av särskilt altar som jämt tjatade på Carola Kilt att ta en viss ton även om den inte ens var höjd eller sänkt.

Kap 18
BAS FÖR BASSET SAMT EGENHETER

Ju mer Steve skrev om körliv, ju mer fascine-
rad blev han över vilket kvinnodominerat område
körsång var. Åtminstone i en kyrka.

Körledaren var en relik från Ludwig XIV:s tid och
allt av intresse bestämdes av damer och herrarna fick
hänga med bäst de ville.

För att bara ta ett exempel så hade man Musikcafé
i Homebridgekören den 27 april. Körledare Lady
Gaga bestämde helt självvådligt vad man skulle ha
på sig trots att det mycket väl kunde ha lämnats över
till körrådet. Vidare var körrådet överkört när det
gällde när de olika stämmorna skulle sjunga i vis-
sa hurtiga "vårtrudelutter". Nu tvingades man bland
annat sjunga det vidriga musikstycket "Tussi tussi-
lago" som var väl lämpat för barn under 7 år men
inte för vuxna. Det kunde körrådet ha bestämt att
man inte skulle sjunga och man kunde även fått visa
framfötterna rörande om man skulle sjunga "dam
dam" eller "pam pam" i något annat "övervintrande"
musikaliskt elände som hade enda förtjänsten att or-
det sol ingick.

Det var damerna som kokade kaffe och det var damer som sålde bröd och lotter. Steve bidrog med bröd men blev ändå inte tillfrågad om han ville sälja bröd som han gärna tackat ja till. Det som dock förvånade var att han blev erbjuden att få en biljett till en konsert i början av november i Gevaliaburkens konserthus trots att han inte längre var ordinarie i kören. Kanske var det svårt att bli av med biljetterna eller också dök det väl upp någon som inte varit där på 10 gånger som gjorde anspråk på biljetten. Det kunde ju faktiskt vara så att kören tyckte att han gjorde lite nytta även som inhoppare. Oavsett hur det förhöll sig så uppskattade Steve gesten.

Det var också damer som gjorde kaffelistor och bakade för kung och fostervatten även till kör-repetitioner. Under det år Steve varit med på allvar i kören hade han aldrig ombetts koka kaffe eller baka. Amazonerna bestämde även där. Även i Marykören så var det ofta kvinnorna som styrde och ställde om det behövdes men där gjorde man det enkelt för sig genom att bara ha kex och ost till fikat. Inte så mycket att förbereda med andra ord.

EGENHETER

Även om Steve slitit sig upp ur den härliga bingen för att 9.45 befinna sig i Stavkyrkan med Homebridgekören så kunde han mötas av minst tio damer som inte hälsade. Lady Gaga, Bonny Bee samt några andra favoriter och alla män hälsade men merparten damer hälsade inte. Oklart varför.

Någon gång tänkte Steve ta mod till sig och utforska varför. Tyckte de att han var äcklig eller snobbig eller fanns det en annan förklaring? Kanske ville de i grunden ha en damkör? Så hade det ju blivit i Streambridgekören under en period innan en mycket populär körledare Lady White från Hillarykören flyttade på sig till Streambridge och tog med sig alla tenorer.

Bland herrarna, i Homebridgekören, fanns totalt 4 sångare och inte en enda bas – om man inte räknade Lady Gagas man som inhoppare – så det borde ju finnas ett visst intresse att de få herrarna som var kvar inte troppade av i ren besvikelse över kvinnornas agerande.

CON BOCCA CHIUOSA

Att sjunga med stängd mun var inte det lättaste. Det hade Steve själv konstaterat. Men det var ju inte helt oöverkomligt att få till.

Så snart cbc fanns med i noterna så skapade det problem. Vissa lärde sig aldrig och frågade om man skulle sjunga på o,a,å eller någon annan vokal men

87

vid närmare eftertanke borde ju de flesta inse att man inte sjöng på a i alla fall för då var ju inte munnen stängd. Det fanns mycket att skriva om detta fenomen men Steve orkade inte skriva mer just nu.

PYSPUNKA

Steve hade spelat lite tvärflöjt i sitt tidigare liv och även trumpet så han visste att det var väldigt viktigt att hushålla med krafterna och dra i magstödet för kung och fosterland för att få till dels en stark ton och dels en lång ton.

Många var de körsångare som bara slutade sjunga trots att det var en helnot och som lät som när man skulle pumpa en cykel och inte såg till att luften kom i slangen utan utanför slangen. Varför pratade man inte om sådant här? Varför måste allt ske när man hade kördag och inhyrd sångpedagog. Då var ju inte ens halva styrkan där så de som mest behövde kunskap om att få till tonbildningen låg troligen hemma på soffan och tittade på idrott. När Steve fått fart på sitt dreamteam så skulle det här bli en mycket viktig fråga. Den saken var klar. Då skall man också införa både *notfiskal och teknisk sångsupport*

MÄN SOM FUSKAR

Ett annat område som man måste belysa, i ett verk

som det förevarande, var det faktumet att en hel del män, särskilt tenorer fuskade. Inte hela tiden men ofta. Fusket bestod i att man sjöng en ters lägre än vad det stod i noterna. En annan sak var att man rätt som det var sjöng sopran eller rent av alt och rent var det absolut inte. Basarna hade så speciell stämma att den inte riktigt lämpade sig för fusk. Där var det väl snarare pyspunka som kunde vara ett problem. Man sjöng inte med tillräcklig pondus och styrka och det var synd eftersom basstämman ofta var väldigt bra satt och lät fint och hade många enkla och robusta "dam dam" partier på bara en ton.

Kap 19
I VÄNTANS TIDER

Det var nu bara fyra dagar kvar till karaoken i Gevalia City på Bilagan. Många var förväntansfulla och såg fram emot sjungandet medan andra var ganska rädda av sig och uttalade tidigt att "Jag skall inte sjunga" eller "jag skall absolut inte sjunga, men om jag tvingas till det skall jag sjunga med någon annan."

Det här ledde ju osökt fram till Steve Emfors och Rot-Leifs tankar om "körtyper". På samma sätt som att man under Aristoteles tid var "kolerisk" och "sangvinisk" så var körsångare antingen a. solister, b. stödsångare-man sjöng bara om man hade stöd av solister eller c. "mutanter" man var tysta eller nästan tysta.

Carola Kilt påstod helt frankt att hon inte skulle sjunga karaoke, när hon talade med Steve Emfors, men när Steve sa att till och med Gevalias grand old lady Rakel Guld hade sjungit duett med honom, så blev hon mer positivt tveksam. Hon förstod ju, förhoppningsvis, att om hon inte vågade skulle många andra inte våga men om hon vågade så skulle det leda till en väldigt positiv "koristisk dominoeffekt."

Kyngva Kjol, som egentligen inte var med i handlingen längre, var också tveksam till om hon skulle sjunga men hon syftade antagligen på att sjunga solo. Hon var ju en hybrid mellan solist och stödsångare. När hon var säker och låten satt i muskelminnet så var hon ju helt visst en solist men i och med att hennes bestialiska envishet spelade henne stora spratt så kunde hon ju inte börja lära sig noter på sin ålders medelhöst, ansåg hon.

Med Liza Last skulle ju Kyngva hur som helst bli solist, om hon nu kom överhuvudtaget. Kyngva var en mycket upptagen dam och hade mycket bokat även under arbetsveckorna.

Anela Mat var ju inte bara lat av naturen, som Steve tidigare konstaterat, utan hon var också matglad och även musikaliskt matglad och skulle kanske kunna tänka sig att sjunga solo. Det blev spännande att se hur det blev med den saken.

Men eftersom hon var en stödsångare så måste det vara något hon verkligen kunde som *"Highway to hell"* av AC/WC

Maria Cat från Sätra Cat-home var ett solistämne men under rätt förutsättningar och om hon var på gott humör.

Hon ville gärna sjunga med Rikki Kikki Tavi som var en mycket säker alt och som även var solist i olika sammanhang inom kyrkan.

Forskar-Fia var en duktig sångerska som först sagt nej till att komma med i församlingen men när hon såg att 20 hade anmält sig till Karaoken så ändrade hon sig men vägrade sjunga. Det skulle inte vara passande.

Hon var ju trots allt med i en from Fromagegrupp inom kyrkan och var regelbundet med på Retreat-resor och annat religiöst *"örongodis"*som Steve hade svårt för.

Ja, där har vi ett axplock av vad som komma skall, tänkte Steve i sin ensamhet. Den som är mest orolig för vad som skall hända på onsdag är "Kia Krakow". Med sin bakgrund från Vit Ryssland är hon alltid misstänksam. Hon misstänker att Steve skall skriva om det här och det har hon ju alldeles rätt i.

Kap 20
KRISMÖTE

Rot-Leif hade kallat till sig Steve med anledning
av det giftiga inslaget från Lisa H på Steves alter ego
Tore Telgstens FB sida. Steve hade ju gud bevars
ingen egen sida men ändå verkade det som om TT
skulle klä skott för Steves åsikter.

Rot-Leif förstod sig inte på folk. Hade man ingen
humor eller hade man ingen känsla för mänskliga
rättigheter. Dessutom inblandning av etik och moral
för advokater. Mycket märkligt. Det räckte väl med
den hemska och förhatliga disciplinnämnden för
advokater. Det behövdes ingen privat "inkvisition"
dessutom.

Rot-Leif låg tillbakalutad i en av sina sköna re-
laxfåtöljer i sitt bekväma "Gryt" i Homebridgesk-
ogen i Gevalia. Vid sin sida låg Steve Emfors som
hyperventilerade efter att det han skrivit lett till att
Forskar Fia skulle säga upp FB vänskapen med Tore
Telgsten som inte ens var inblandad i Steves berät-
telse. Han hade ju bara vänligheten att trycka det
som Steve skrev för att Steve inte själv var med på
FB och därmed inte kunde förmedla sina tankar om
körlivets vedermödor.

"Hur tog du det här hemska påhoppet", undrade Rot-Leif deltagande.

"Jag blev mycket förvånad och besviken", sa Steve som var överkänslig för viss kritik.

"Påhoppet kom ju dessutom från en av de personer i kören som jag tyckte bäst om, innan det här hände." konstaterade Steve vemodigt.

"Nu förvandlades allt i ett penndrag. Nu skulle det bli jobbigt att gå till kören. På sikt fanns det en risk för avhopp i kören från min sida men kanske från andra också", sa han lakoniskt och med pannan i djupa veck.

"Nu skall man väl inte tala i egen sak men tenorer växer inte på träd. De tävlar ju om en i alla körer. Nu kanske jag i stället skall gå tillbaks till El Tomasokören som ordinarie körmedlem och endast vara med i Mary kören när den har kul projekt på gång, istället för tvärtom," resonerade han mer eller mindre för sig själv.

"Ja, det är ju sådant här som inte får hända men att reta sig på en litterär berättelse det är ju mer eller mindre svagsint, tycker jag", sa Rot-Leif som retat upp sig ordentligt på kommentaren från Fia Forsk(are) .

Den som alltså gick ut på att Steves karikatyrer påminde för mycket om verkligheten och därmed var ett angrepp inte på karikatyren men på den levande personen.

Vilken det var som var förnärmad hade nog aldrig riktigt kommit fram men troligen kunde det vara Carola Kilt eller den nya sopranen som hade varit lite ofräsch på någon övning i början men nu skärpt till sig.

"Ja vi har ett samhälle där man i princip kan skriva vad som helst på sociala media och där vi skyddar nazister som vill demonstrera och gå förbi judiska kyrkor och så kommer sådant här. Vart är vi på väg om vi inte får skriva en drapa om svenskt körliv i karikatyrform och låna lite drag från verkligheten utan att bli hängda och borttagna som vänner. I förlängningen är ju agerandet fruktansvärt allvarligt", fortsatte Steve. Han var glad att Rot-Leif höll med honom.

"Håller helt med. Jag hoppas du får stöd av några modiga i kören och kanske av författaren Göte Swan och att du och Fia Forsk kommer sams på sikt. I annat fall kan det bli problem med forskningen. Du behövs i den här kören för att kunna få ihop ditt/vårt dreamteam. En kör skall ju vara så bra att de efterfrågas av våra kända artister och du hörde väl att Hillary kören skulle få åka ner till Stockholm och sjunga med Tommy Nilsson kommande helg".

"Ja, det borde jag ju veta eftersom jag var med som inhoppare i Hillarykören när de var i Hillary-kyrkan", sa Steve och visade ett visst mått av irritation. "Ja, du Steve. Vad dåligt minne jag har ibland. Jag var ju för övrigt förvånad att kyrkoherden Jona Clar inte frågade mig om jag hade lust att vara med. Jag har ju en skolad röst och det kan man väl inte riktigt säga om din röst, även om den är helt ok", sa Rot-Leif medvetet sarkastiskt. Nu gav han igen för den ironiska kommentar som Steve nyligen kommit med. Det syntes på Steve att han blev mycket besviken över påhoppet men samtidigt så ville han inte ta en fight med Rot-Leif i den frågan. Han höll med om att Rot-Leif sjöng bättre men att det kanske inte var den gradskillnad som R-L inbillade sig och att det framförallt inte kom fram så tydligt i en kör. Det var ju en annan sak när man sjöng solo.

Å andra sidan kom inte alltid Steves röst till sin rätt eftersom han inte var så van att sjunga i mikrofon och överhuvudtaget kände sig obekväm i solistrollen. Hur gärna han än ville sjunga solo så ville han förstås att det skulle låta bra.

Rot-Leif hade ju säkert varit solist vid minst 100 tillfällen och Steve vid kanske ett 20 tal tillfällen och vid hälften av dessa tillfällen hade han inte ens sjungit i mikrofon.

"Hur går jag vidare nu?", undrade Steve och försökte svälja förtreten med Rot-Leif och hans synpunkter på hans insats.

"Du/vi får ju inte tystas av det här. Det behövs ju en "Bonusfamiljen" -drapa i många avsnitt om svenskt körliv och det enda jag kan rekommendera är väl att göra personerna i drapan mer avkönade men även det känns ju inte helt rätt. De som blir karikerade borde ju i grunden känna sig hedrade för då anser man att de syns och att deras egenheter är värda att belysa i karikatyrform.

"En del personer, som Gun The Gun och Maria Cat tycker ju det är ganska kul med själva storyn och att viss sammanblandning sker mellan verkliga personer och litterära personer", förklarade Steve. "Andra tycker det är jobbigt och inte minst den känsliga och väna Carola Kilt. Även Fader Sven har uttryckt sympati för "utpekade" karikatyrer men sagt att han själv "inte bryr sig".

Med andra ord så går jag på det och fortsätter skriva som om inget hänt, men jag tänker göra min Whisky blended blandning" i körversion ännu mer blandad än tidigare", sa Steve och försökte att inte se medtagen ut, trots att han var det.

Det kan ju, trots allt inte vara förbjudet att skriva om olika sångartyper och logistik för att få till ett "dreamteam" motsvarande USAs basketlag i Barcelona 1992 och låta folk få upp ögonen för hur det är att sjunga i kör. Kanske det också kan göra att man själv vågar gå med i en kör men då väljer rätt kör och inte hoppar in i en kör som inte alls passar den egna kapaciteten. De båda vännerna skiljs åt.

Kap 21
ORDNING OCH REDA

Gun the Gun (GTG) hade samlat stormtrupperna på Waynes Cofee i Nordeahuset med anledning av den kris som uppstått efter att Forskar-Fia kommit fram till att historien "Mitt liv som körsångare", som pågått i närmare fem års tid blivit hårt kritiserad. Kritiken gick ut på att det var "omoraliskt" och "allmänt hemskt" att man kränkte körlivets helgd som betydde så mycket för så många genom att låna drag från befintliga körsångare ISTÄLLET för att bara "hitt på allt" vad man orkade och koncentrera sig på vad det innebär att sjunga i kör. Detta var välkänt för läsaren men inte för de som kallats till mötet. Diskussionens vågor hade gått höga. Liza Last hade nu ordet.

"Ja hur skulle det gå till om Rune Andersson eller någon av Bamses tecknare skulle komma med något som gjorde att seriens handling kunde förväxlas med verkligheten? Kanske farmor var Margot Wallström eller något annat hemskt och att Vargen kanske var Donald Trump och om så vore borde väl Donald Trump kunna stämma Bamses tecknare?? " sa Liza Last som alltjämt accepterade att vara med i berät-

99

telsen men Kyngva Kjol togs (nästan) bort p g a por-
trättlikheten med en sopran i Mary-kören med starka
kopplingar till barn.

Det visade sig dock att Kyngva var så populär hos
Steve att Kyngva poppade upp då och då i berät-
telsen men alltid i snälla sammanhang.

"Ok," sa Gun the Gun men nu lämnar vi den här
tvisten och försöker komma fram till vad vi har lärt
oss hittills om sångteknik och diverse eljest.

"Vad har vi uppnått. Vad har vi kunnat föra vidare
till Steve som tecknar ner vår berättelse och den där
Tore Telgsten som blir hängd om Steve tycker fel?"
fortsatte Gun The Gun som alltid var på hugget och
var körens egen "Gula väst" Anela Mat var sömnd-
rucken men kunde ändå säga: "Vi har kommit fram
till att det finns minst tre sorters sångare: Solister,
medsångare/stödsångare och mutanter. Det har vi ju
tjatat om några gånger eller hur.

"Helt korrekt, sa GTG, och vad kan man säga om
relationen mellan sopraner och altar" undrade hon
och såg uppmanande på den nytillkomna medlem-
men i "Styrelsen" Li(s)za Luzt. Li(s)za Luzt var glad
att hon fick frågan och svarade: "Vad jag kan minnas
från tidigare så bör 60% av sångarna vara altar och
40% sopraner och samma relation mellan tenorer
och basar."

"Mycket bra Liza. Du har huvudet på skaft. Kan du också säga något om hur man skall få fram den relationen i ett tänkt "Dreamteam? "

"Var det inte något med att man skulle låta en del sopraner sjunga alt och en del basar sjunga tenor"

"Du är ju en fena på det här trots att du inte börjat sjunga i vår kör men borde göra det." konstaterade "Gunsan" vänligt.

"Tack", sa Li(s)za Luzt och rodnade klädsamt.

"Kan Liza Last säga någon om körvolym?"

"Körvolym? Det var lite konstigt ord för mig men jag gör min egen tolkning. Carola Kilt säger ju alltid att man skall lyssna på varandra och med det tror jag hon vill säga att man skall lyssna på varandras volym och inte som Steve Emfors hela tiden tror att man är solist. Genom att vara solist skrämmer du stödsångarna så att de inte sjunger ut och körens "kolaratur/klang" kommer inte fram på ett "adekvat" sätt om jag skall försöka vara "volymrelevant", sa Liza Last och verkade väldigt mallig för att hon kunde uttrycka sig så diffust.

"Ja jag tror att du är rätt ute," sa GT "även om jag inte riktigt förstår din rotvälska. Det jag framfört till Steve det är att varje stämma skall höras och därför kan inte någon stämma framträda för mycket och även tenorer måste inse att p är piano och f är forte och att det finns många nyanser där emellan. Vi skall ju efterlikna en symfoniorkester och i en sådan orkester så får ju hela tiden de olika instrumenten komma fram och inte minst i solopartier om jag förstått det hela rätt. Vad kan man säga om "dramaturgin" i berättelsen om en kör, som Göte Swan var inne på?"

"Ja, nu är ju Göte Swan en riktig mallpropp med härskarteknik från Sveriges, tror han, framsida." sa Maria Cat. Han far med lögner om hur farligt det är att ha falska kaminer inne, så jag vet inte om vi skall bry oss om honom. Men dramaturgin kommer väl när man beskriver hur irriterade tenorer kan bli på att basarna pladdrar hela tiden eller alla blir irriterade på skriksopraner. Sedan kommer ju all dramaturgin när man ser till småbarnsföräldrar där en förälder får gå och sjunga i tid och otid medan den andre får stå över "bara" för att man är alt och mannen tenor. När sedan kvinnan är på dåligt humör efter att mannen kommit hem och fått lovord för sin insats i kören – när hon varit hemma och nattat skrikigt och jobbigt barn – och hon då slår ner vederbörande. I ren självbevarelsedrift och i nödvärn, det är ju vara helt rätt," konstaterade Maria Cat som nu var högröd i ansiktet. "Detta kan i sin tur leda till att hon blir åtalad för grov misshandel trots att hon i grunden är en väldigt lugn person." sa Maria Cat och log hånfullt.

"Bra där," sa GTG uppriktigt nöjd och det där sista exemplet tror jag du själv upplevde när du bodde i Streambridge, eller hur?"

"Just så. Därför var det så bra att ta just det exemplet," sa Maria Cat och var i sin tur nöjd med att GTG hade så bra minne.

"Bra att Ni vågar ta exempel ur verkliga livet. Och utan att skämmas och utan att vara rädd för att Steve skall skriva om det. Om han nu lyckas med det efter allt som varit. Är det ett problem så måste vi göra en rokad och påstå att det var Anela Mat som tyckte som du tyckte, Maria Cat, i fall det skulle vara känsligt för dig."

"Låter klokt" sa Maria Cat och därför kan ju alla uttrycka vad som är känsligt för just dem.

"Tack för allt tyckande," sa GTG. Vad Ni sagt skall jag framföra till Steve och Rot-Leif på nästa ledningsmöte i Kyrkfront med styrelsen, under ledning av fader Sven.

Kap 22
KÖRLIV

Kören hade denna dag varit med i en s k generations-
mässa och det blev en rejäl kör men det blev inte
Marykören utan bara 4 - 5 stycken från den kören
och resten var "inlånta" men bra blev det ändå. Ca-
rola Kilt var inte sällan osviklig när det gällde att få
ihop en kör mot alla odds. Hade hon varit den som
sett till att det fanns trupper under Karl XII: s tid
så hade kanske inte Kalle Dussin förlorat slaget vid
Poltava?

Filosofen fader Sven var också duktig när han
ledde sina mässor och i dag hade han t o m bytt ut
"bergspredikan" mot ett samtal med fritidspedago-
gen Carola Stjärna. Samspelet var lysande och alla i
publiken verkade nöjda.

Bra var också Herden Erik EK, fast inte just i dag,
som hade så bra hand med barn att en tvååring under
en generationsmässa snällt stod och lyssnade med
Erik i stället för att springa runt i vanlig ordning och
ställa till oreda och slå på de blå dopkorten. Steve
Emfors funderade i vanlig ordning på hur mycket
han skulle ta med när det gällde "fromfolket" (Fruit
de fromage, FDF) men försökte hitta en bra bal-

ans och hoppades att det inte skulle bli några nya
"Forskar-Fia skandaler.

KÖRMEDLEMMAR

Steve hade tänkt att han i varje avsnitt skulle berätta lite om någon körmedlem men så hade det inte blivit. En som stod på tur var Tenoren Börje Bil. Börje var en herre på dryga 70 som levde för sitt utseende och sin framtoning. Han var lyckligt gift enligt vad Steve erfarit och i vart fall så klagade han inte öppet på sin hustru, vilket var ett gott tecken. Börje hade alltid sina skor oklanderlig putsade. Det var välskötta skor, gärna sportiga, i storlek 42 och gärna kängor på vintern. I läder förstås.

Till välsittande byxor, från herrbutiken Ascot, hade han ständigt en snygg märkeströja. Tröjorna fick han oftast av sin kära hustru till jul och födelsedagar. Märket fick gärna framhävas om det så var en häst a la Ralph Lauren eller en krokodiltröja a "la Coste". Börje använde ogärna kläder där det inte klart framgick att plagget kostat en del och att vanligt kreti och pleti inte hade råd att bära det.

Börje Bil, också kallad Oh Mercy, hade ett vinnande sätt och många var de kvinnor som beundrade honom och gärna ville sitta bredvid honom vid fikapauserna, vilket var en nog så tydlig parameter på popularitet. Han var dessutom med i Gevalia Gospel varje år och uppträdde där mycket förtjänstfullt och kunnigt. Han blev därför mer subventionerad än de som inte sjöng gospel till Steves förtret. När han inte sjöng i kör sprang han omkring på "olderly Bay" och försökte komma fram till var Steve Emfors hade sitt kontor. Hittills hade han inte lyckats och det sa ju en del om hans klena lokalsinne.

Det vittnade i någon mån också om blyghet. Oh Mercy var en person som inte ville störa. Ganska vanligt fenomen i körsammanhang.

Börje Bil var också en stor anhängare av jazzmusik, inte minst Duke Ellington och Errol Garner. Börje var heller inte oäven på munspel.

Det hände att han spelade ihop med Börje Barsk på musikcaféer eller vid andra speciella tillfällen. Börje Båt var en glad lax som börjat som bas men sedermera blivit uppgraderad. Han tittade på melodifestivalen fläckvis men var inte särskilt förtjust i bidragen och tyckte att Jan Malmsjö töntat till det som ställt upp i år trots sin ålder och trots ganska allvarlig ohälsa. Han föredrog Aftonbladet framför Expressen trots att han röstade åt höger. Han skulle aldrig rösta på M och inte på SD eller KD. Han hatade nazism och översittarfasoner över allt på jorden.

Tidigare hade han bott med sin förtjusande hustru

i "Mary området" men nu hade han boendemässigt "uppgraderat" till Gevalia Beach, området som så många andra vällyckade personer tagit sin tillflykt till. Han ville i grunden köra BMW men hade ännu inte gått över till en "riktig bil" utan höll fast vid sin vita Mercedes – som han fått köpa billigt i anslutning till att han gått i pension – med smäckra linjer. Sådan var han i korthet den inte helt långe, men högt uppskattade, Börje Bil. Om Steve fick bestämma så skulle Börje Bil absolut vara med i the Dreamtime och då som stödsångare. Han hade också kapacitet att under rätt ledning bli solist.

Kap 23

KARAOKE PÅ BILAGAN

Det var nu bara två dagar kvar till dess att
Marykören skulle träffas på 'Bilagan' men först äta
på Don Pepino. Steve såg mycket fram emot den här
träffen och om den blev bra var det ett kvitto på att
människor i kören ställde upp på hans idéer och det
var bra för hans ofta sviktande självkänsla.

Han älskade karaoke och hade sjungit karaoke
kanske 30 - 40 ggr i sitt liv. Det kunde också vara
mer än det. Största publiken hade han på 'Voyager
of the sea'. Världens största kryssningsfartyg. Son
och X -Mary var med på resan. Det var väl för ca
15 år sedan han tog mod till sig och sjöng 'Annies
song' inför en publik på kanske 1 000 personer. Sån-
gen var alltför högt satt. Även om Steve var tenor
så var han inte hjältetenor a la Il Divo. Kanske inte
ens förste-tenor. Det gick åt fanders förstås. X-Mary
var tröstande men sonen ville inte prata om eländet.
Han skämdes. Ville inte känna släktskap på ett par
timmar men det gick över tack och lov, efter sed-
vanlig muta, och som tur var så gick det nya tåg,
långt borta från det aktuella kryssningsfartyget. Det
var närmare 20 som anmält sig till karaoken och det

innebar att kanske 15 skulle komma. Steve hade fått tämligen stränga förhållningsregler av Carola Kilt att inte skriva om karaoken men Steve hade sagt att han inte skulle skriva något elakt om henne och det löftet skulle han hålla.

Steve hade inte råd med att nya 'forskare' skulle ge sig på honom. Sådant som ledde till att man sa upp bekantskapen på FB. Det var alltför högt pris.

Det var väl till att gå omkring och fråga folk: " Är det ok att jag lånar drag från dig i mitt lilla skådespel/författande?" Fanns det författare som gjorde det? Fanns det på kartan eller bara bland 'forskare'? Ja, de skulle väl förhoppningsvis tala om för de undersökta att de ingick i en undersökning men det var väl inte riktigt samma grej? Eller var det det?

Hur som helst var det advokatetiskt förfärligt skrev forskaren, i sitt tidigare angrepp, men det var historia nu. Här skulle skrivas om 'Bilagan' och vad som utspelade sig där.

Steve tänkte tillbaks på alla trevliga karaokeaftnar han haft med Maggie the Voice på 'Bilagan'. Det var alltid hon som fixade de där sammankomsterna. Vansinnigt kul att sjunga "Jackson" med Maggie the Voice eller lyssna på Markysinnan och Goran Ullfager när de sjöng "Highway to hell" eller när Steve sjöng duett med Rakel Guld, allas vår musiklärare och inspiratör. Vad de sjöng hade han glömt men kul var det. Två dagar kvar och i morgon bara en dag kvar. Spännande!

Kap 24
NÅGOT I BAKFICKAN

Steve började bli otålig. Han hade en bok att skriva. Han hade ett "Gryt" att vinna. Han hade att hålla sig väl med den högste i 'Näringskedjan': Rot –Leif. Och han hade att hålla sig väl med 'kreti och pleti'. Han måste vara tydlig vad gällde att skildra det hårda och ibland otacksamma livet som körsångare i kyrkokör. Det stämde väl kanske inte alltid, men för en del var det ju inte bara lustfyllt att vara med i en av Sveriges största folkrörelser; det sades att mer än 500 000 människor sjöng i kör. Det krävde sin man och alt som oftast ångrade han att han åtagit sig uppdraget men nu skulle båten ros i land, och det som nu komma skulle var inte så svårt att beskriva på ett begripligt sätt. Hoppades han i alla fall.

PÅ DON PEPINO

Det var ett rejält gäng som samlats på 'Don Pepino', en restaurang i centrala Gevalia. Närmare bestämt var man ganska exakt 20 stycken. Inklusive de personer som redan från start sagt att man inte skulle sjunga. Det var en härlig blandning av fromma-djupt troende-, anarkister och även en och annan agnostiker. Det var ont om herrar men Steve var där liksom Ture Ton och Q.-Häll-en sångglad man från Hälsingland med friskt humör som inte lyckats få med sin förtjusande fru. Annars var de som ler och långhalm och kunde knappt slita sig en enda timme från varandras närhet, under dygnets alla timmar. Man var på väg att fira 50 år som gifta och det fanns inte bara ett antal barn utan även barnbarn.

Q var en hybrid mellan solist och stödsångare. Han sjöng betydligt bättre tillsammans med Börje Barsk och Q läste noter utan problem och hanterade också piano hyggligt liksom hammondorgel. På 60-talet hade han varit med i en lokal grupp I Järvsö som hette *Järvsö blomster*. Det var ett bra namn eftersom Q sedermera blev blomsterhandlare och levt gott på det i många år genom att sälja blommor på Torget i Gevalia.

Sällskapet åt och drack. Maten var förträfflig. Framåt 20 00 började karaoken. Steve var först att gå fram till micken. Han var laddad men inte övermodig. Han ville inte råka ut för nya "Titanic-framträdanden" som det på Voyager of the sea. Han var förvisso initiativtagare och veteran i Karaoke sammanhang.

Annat var det med sopranen Li(s)za Luzt som inte hade sjungit på någon riktig karaoke tidigare men däremot hade hon sjungit scoutvisor i Falutrakten. Det var vid Hosjön, vid ett flertal tillfällen och hon var en baddare på den klämmiga scoutsången: "Jopp hej di hej di hej da". LL hade också varit blåvinge innan hon blev en riktig scout och slutade som blåvingeledare när hennes scoutperiod var över.

När Steve sjungit sin " Candle in the wind" av Elton John och Bernie Taupin var det dags för Liza att knalla fram med diverse fromma och frejdiga damer och dra ett örhänge från Siv Malmqvists 60-talsrepertoar. "Flickor bak i bilen. Man sjöng med den äran och drog ner mycket applåder.

Snart dök Anela Mat upp, men hoppade över maten och gick världsvant direkt ut på Karaokegolvet och drog "Sånt är livet" – Anita Lindbloms största örhänge – och fick rungade applåder för det. Hon återkom själv ytterligare två gånger men sjöng också en ganska okänd med finstämd sång med Ture Ton, på finska. Den gav inte lika mycket applåder som de tidigare egna framförandena men flera tyckte att det var en av kvällens höjdpunkter. Anela Mat hade även velat sjunga med Steve Emfors men hon var så sent ute att det försöket misslyckats. Steve sjöng ytterligare två låtar själv och var också med i blandad skara och bidrag med ytterligare två låtar. Totalt sjöng han vid inte mindre än 6 tillfällen. Stämningen steg och fler och fler vågade sjunga.

Maria Cat från Sätra katthem var också uppe flera gånger och ville även sjunga "I natt är jag din" med hennes ex Steve Emfors, och det gjorde hon med den äran. Carola Kilt hade egentligen velat sjunga men kom sig inte för då ingen tjatade tillräckligt på henne av vördnad för den duktiga körledaren. Steve var väldigt sugen på att tjata lite extra på henne men insåg att det var en högoddsare att försöka så därför lät han bli.

Man sjöng och drack under närmare två timmar och efteråt var alla som Steve pratade med överens om att man måste göra om det här så snart som möjligt och att man då skulle ta med sig sina vänner och fylla upp lokalen. Gun the Gun skulle då självfallet vara med och förhoppningsvis också Anel Ave och Goran Ullfager från El Tomasokören samt också Bernadette Devlin från den franskspråkiga delen av IRA- kören från Belfast.

Kap 25

UPPDRAGET –ÄNNU EN GENOMGÅNG

Rot-Leif satt bekvämt tillbakalutad i den egenbyggda bastun i Hemlingby tillsammans med gode vännen och advokaten Steve Emfors. Innan man gått in i bastun, som var en del av Rot-Child 1 – en hyllning till Rot-Leifs 8 barn – hade man traditionsenligt doppat sig i en tunna med is och tall- och granbarr för att njuta lite extra av bastandet. Rot-Leif hade lärt sig av Rod Stewart att det här var ett bra sätt att hålla sig i trim och försöka vara kvar i jordelivet så länge som möjligt. Rot-Leif smuttade på en smoothie gjord på färska rödbetor och lime. Steve hade erbjudits en likadan men han passade. Den var lite för nyttig för honom. Han föredrog något med singel-malt från Skottland eller whisky från Mackmyra.

"Jag vill ju, som du vet, att du skall försöka skriva ett slags "standardverk" om svenskt körliv", började Rot-Leif." Ett verk där du försöker beskriva vad som händer bakom kulisserna i en kör. Både ta upp vilka som sjunger och varför de sjunger och deras beteende i olika sammanhang där man kan tycka olika som hur lojal man skall vara mot sin kör. Om man skall vara med i en generationskör eller inte eller hålla sig för god för att sjunga i en sådan kör. När du sedan penetrerat vad som gäller i en kyrkokör skall du alltså gå över och se hur ett 'dreamteam' inom kyrkans ramar kan se ut. Vilka som är med. Laguppställning, sångrepertoar etc. När vi så har ett 'dreamteam' så skall vi förhoppningsvis få till körer med så hög verkningsgrad som möjligt i den vanliga kyrkokören. En kör som kanske fungerar trots att man bara är en dubbelkvartett men helst bör vara en fyr- eller femkvartett. Vi skall även försöka få bort dökött inom kören och ha så många som möjligt som kan sjunga och helst är solister men i vart fall är stödsångare. Glöm inte att även solister behöver stöd. Nog hade du och jag mycket nytta av varandra när vi sjöng ihop i Streambridgekören även om det var jag som var den mest lysande stjärnan", konstaterade Rot-Leif utan tillstymmelse till självironi. "Som du vet är jag god för minst 100 miljoner och dessa pengar har jag tjänat genom att sälja tysk kvalitetskorv men mest har jag tjänat på mina 'grottekvarnar' dvs 'hyttor' under mark. Grop 1 och 2 har gått bäst men även Grop 3 och 4 har varit framgångsrika. Alla mina bostäder kostar omöblerat från 500 000 kr och uppåt och min vinst är minst 250 000 kr på varje gryt."

"Kom till saken nu skrytlort och snacka inte så

mycket siffror", sa Steve otåligt.

"Ok! Ok! Jag skall ge dig en 'Hytte' full med möbler och kanske även bastu under kyrkan i Mary–kyrkan så att du även kan ta dit utvalda från kören när de vill vila upp sig lite. Det kommer att bli mycket mer bekvämt och diskret än 'kuddrummet' där du nu måste husera.

Det med hytte har jag också lovat dig tidigare och jag kommer att hålla det löftet om du nu försöker få lite struktur i ditt berättande och en gång för alla börjar ta ut ett 'Dreamteam'. Börja med säkra sångare som Goran Ullfager och Markysinnan i basen. Fortsätt med dig själv i tenoren och ta med Börje Bil. Ture Ton får gå med i 'farmarlaget' och Anela Mat likaså. Som du vet har hon ju lite problem med sina lungor och kan hon inte sjunga ut ordentligt så platsar hon inte i 'Dream Team 1' men blir nog så viktig i 'Dreamteam 2'. Jag vet att du inte tycker om Forskaren i sopranen men det gör jag. Hon har integritet och drar sig inte för att ge dig en match."

"Gösta Lambert! Jag är lyckligt gift och behöver inte sådant 'grytsällskap' som du pratade om, men däremot så kan jag ju hyra ut per timma till vaktmästare och andra som är intresserade. Enligt "Me-Too" rörelsen verkar det ju vara ett rejält stort gäng från kyrkan som behöver en tillflyktsort. Tafsandet har ju tydligen skett på löpande band. Jag däremot behöver en skrivarlya där jag i lugn och ro och till god musik, kan skapa detta 'verk' som kanske kan bli en ny 'Utvandrarserie' men för körsångare", sa Steve och var mer än lovligt ironisk.

"Jag tycker att du är på rätt väg och har rätt attityd och du vet att jag beundrar din förmåga att formulera dig. En förmåga jag helt saknar. "

"Vi har en plan, Sickan. Jag skall genast be att få låna din eleganta 'skrivkoja' och en bärbar dator. Jag tänkte börja skriva lite om några körmedlemmar i den tilltänkta kören. Blir det bra?" undrade Steve förväntansfullt.

"Absolut! Kör i gång direkt så kommer jag med valfria smoothies. Ta en badrock där borta på kroken så du inte tappar tid och snubbla inte på Eiram En som vanligt rökt för mycket vattenpipa, spetsad med vallmo." De båda vännerna skiljs åt helt tillfälligt.

KAPITEL 26
ETT KÖRPORTRÄTT - MARIA CAT

Maria Cat från Sätra katthem hade sjungit i kör sedan tidernas begynnelse. Hon hade träffat berättaren Steve redan 1984. På den tiden var han ung och kraftfull med tydlig sexpack kring naveln, och hade ingen tendens till midja och mage a la "100 kilos klubben". Själv var hon då mycket smärt och påminde en hel del om Lill Babs i sin glans dagar. Hon hade midja som en geting och var uttråkad av sin man, men inte av sina två barn. Nu var det annorlunda. Nu levde hon ensam sedan ett antal år men kände sig sällan ensam p g a sina katter Rumbo och Rimbo och hon umgicks mycket med barn och barnbarn.

Allt som oftast upplät hon också sin bostad till andra katter som Doris och Maja m fl. Maria kunde läsa noter och dessutom spela piano till noter. Hon var därmed relativt ovanlig i kören. De flesta läste inte noter och det gjorde inte heller Kjyngva Kjol som vi kommer till senare. Hon läste inte kvällstidningar men tittade gärna på "mellot" om hon hade sitt yngsta barnbarn till hands.

Steve kom precis på att han skulle ha en lagom blandning av körsångare som kunde traktera ett instrument behjälpligt och de som 'bara' sjöng.

"Hur går det? Kommer du någonstans?" undrade Rot-Leif som gick omkring med ännu en rödbetss- mothie spetsad med Tabasco i sitt stora gryt i Home- bridge.

"Jo, det ramlar och går", svarade Steve och cit- erade en kollega vid namn Sture Skog, som var från Västergötland.

"Glöm inte att skriva om olika typer av körsångare och om olika typer av körledare."

"Nej jag lovar att göra om det om du ger mig en lagrad belgisk klosteröl", sa Steve som nu fått upp ångan. "Olika typer? Ja varför inte försöka förtyd- liga den biten så att det blev lättare att beskriva de olika sångarna."

Maria Cat var direktkvalificerad till alten i 'The Dreamteam', hur som helst, och det var också Gun the Gun. Båda kunde både sjunga starkt och svagt. Båda kunde läsa noter och Gun the Gun kunde normalt sett spela gitarr om det inte varit för den förfärliga armen som hon brutit och som gjorde att hon ständigt gick på starka värktabletter. Inte alls någon kul tillvaro.

Kap 27

TYPSNITT

Steve insåg förstås att det fanns en rad olika egenskaper i en kör men frågan var bara vad och hur han skulle kunna berätta om det på ett lättbegripligt sätt.

En 'typ' var förstås mistlurarna. De som ville höras alldeles för mycket och älskade sin egen röst men denna röst älskades sällan av andra.

I bästa fall sjöng 'Mistlurarna' rätt. Steve insåg att han från och till kunde vara en sådan mistlur men han sjöng i alla fall rätt för det mesta men ibland för starkt. Bland mistlurarna fanns ofta de bästa sångarna i varje stämma, men det fanns också de som sjung starkt och fel och som hela tiden störde sin omgivning. Tyvärr verkade det som om ursprung hade en viss betydelse i det avseendet. Två av de allra värsta mistlurarna som Steve stött på hade utomeuropeisk bakgrund. Det kunde ju också vara rena slumpen och det var nog mest troligt. Inte hade Helga från Hannover några som helst problem att sjunga 'nordiskt' och inte heller fröken Kia Krakow eller Petra Bud från Vitryssland. Båda dessa damer ville Steve ha med i Sopranen och tillsammans med

Kyngva Kjol och Forskaren så hade han nu en full kvartett men frågan var ju om samtliga fyra skulle sjunga i Team 1. Kia Krakow kanske skulle passa bättre i team 2 eftersom hon var relativt röstsvag men kunde lyfta sig decibelmässigt om hon sjöng med någon annan och gärna någon med utländsk bakgrund. Tänk att Steve hade kommit på alldeles själv att ursprung kunde ha en positiv betydelse och att en körsångare kunde känna trygghet i att den andre också var "multi kulti" sångare, vilket fick stå för utländsk bakgrund i största allmänhet.

Det här med att sjunga starkt men fel hade sina sidor. Det kunde dels få sånggrannen att själv sjunga fel eller också sjunga ännu högre så att det blev forte och forte fortissimo oavsett om vad det stod om röststyrka i noterna. Mistlurarna fanns framförallt hos sopranerna – konstaterade Steve – men även hos tenorerna. Ture Ton som Steve senare skulle skriva om, hade en fantastisk stämma med tanke på att han passerat 75 men han kunde också bli lite självvådligt och dra i väg åt alldeles fel hål men hoppas på tur att det skulle vara rätt. Bland sopranerna hade det funnits en dam som sjöng oerhört fel och bl a störde Kyngva Kjol när hon sjöng rätt men nu hade "trygghetsrådet" med Börje Boll i spetsen lyft ut henne med Fader Svens välsignelse och Börje Boll hade även tagit nattvarden efteråt för att minska ångesten över att ha flyttat över en körmedlem till 'övnings och tillväxtkören' som var det nya arbetsnamnet för de som absolut inte skulle tas bort från gemenskapen men bli körlivets "Samhall"

Bland altarna fanns det alltid de som gömde sig och inte sjöng alls eller mycket svagt. Där gömde sig flest mutanter. Det fanns mutanter även bland sopranerna men där var de mer ovanliga. Steve tyckte själv att dessa Mutanter" var ganska onödiga i kören men alla körledarnas mentor-Rakel Koj-ansåg att de behövdes. Inte minst av sociala skäl och för att de som stod bredvid mutanterna skulle känna sig duktiga vilket skapade en hävstångseffekt. Man tog sig själv i kragen och försökte verkligen sjunga rätt.

Kap 28

LAGET FORMAS

"Nu är det dags för lite lunch" sa Rot-Leif som hade varit ute och plockat höstkantareller som han stekt i smör och sedan lagt på en skiva rågbröd. Till det serverade han rent källvatten med en skiva citron. Steve lät sig väl smaka.

Ett break satt inte fel för Steve som sovit dåligt natten innan men kände sig ovanligt inspirerad. Han kände att han nu ganska snabbt skulle kunna sätta ihop både ett A och ett B lag. I vart fall med kör innehållande minst 20 personer och då krävdes 5 i varje stämma. För sig själv gjorde han en liten snabbkoll.

Basar: Här toppade man med Goran Ullfager samt Markysinnan och även fiolspelaren Gerad Gäll, hans hustru Kina Gäll var självskriven i Sopranen.

Samtliga från El Tomasokören. Vidare Börje Boule och Börje Barsk från Marykören liksom Börje Bok och Börje Båt. Basen skulle bli stark. Det var ingen tvekan om det.

I tenoren hade man Leif Lång och Claes Kol från El Tomasokören samt Steve själv och Börje Bil. Rot-Leif skulle även kunna hoppa in vid behov. Från Hillary & Berg kören föreslogs Jan M och Jan N. Då hade man i alla fall ett team klart.

I alten så toppade man alltså med Mary Cat, Gun the Gun, Rikki Kikki Tavi och Beata Clar samt Maggie the voice. Vidare Li(s)za Luzt och Liza Last samt inte att förglömma Eiram Al.

Alten såg också bra ut och nu kvarstod alltså sopranen där man hade med Forskaren, Anna O, Kia Krakow och Petra Bud och vidare Kyngva Kjol samt Apotea Al och Kina Gäll och slutligen Sara Stream.

Nu saknades två mutanter, en i alten och en i sopranen och där kunde väl "Bolla och Rulla" platsa? *Det börjar ta sig sa mordbrännaren,* tänkte Steve tyst för sig själv.

Nu när Steve hade ett lag, han visste att det var en början men att stora förändringar kunde komma, så handlade det om att formatera laget och välja repertoar och börja öva. Med lite tur så skulle man få ihop ett team till Gökottan vid Nyöstertorpet i Mary församling. Nu gällde det bara att övertyga den onödigt snälla Carola Kilt att bara låta 'Dreamteam Try' få chansen och inte låta mistlurar och de andra att vara med.

MÖTE PÅ BEACH BAR

Rätteligen så var det fader Sven som skulle ha det delikata nöjet att äta lunch med Li(s)za Luzt, en synnerligen attraktiv kvinna nyss fyllda 55, men då Sven hade fullt upp med att förbereda ett antal konfirmander på att resa till Irland och dessutom fundera på vad han inte skulle säga vid en retreatrunda i Bois de Bologne, så föll uppgiften på Steve Emfors.

Steve hade i grunden inte alls något emot att träffa Liza på egen hand. Han visste att hon hade rykte om sig att kunna förrycka synen på vilken gift eller ogift karl som helst och att hon använde en förförisk eau de toilette vid namn "temptation". Han visste också att han själv blivit alltmer lättberörd ju äldre han blev. Nu var det bara att gilla läget men hålla på sig så gott hand kunde trots att han själv knappast var mindre attraktiv än Li(s)za Luzt, enligt vissa mindre vetande.

Steve såg genom de stora panoramafönstren att Li(s)za Luzt var på plats. Han försökte att göra en snygg entré med sina nyinköpta loafers av bättre märke men i själva verket blev det ett snubbelsteg i stället och det var inget som Steve uppskattade. Li(s)za Luzt låtsades som om det inte hade någon betydelse men det hade det. Hon var en kulturperson som tänkte mycket på estetik och det gällde även hur man förde sig och hur snabbt man gick etc. Steves entré hade påverkat henne menligt. Själv gick hon i högklackat dagen till ära men hade inte snubblat en enda gång. "Less is more", sa hon för sig själv i väntan på Steves och hennes konfrontation. Det var den devis som var viktigast i hennes liv.

"Välkommen, Steve! Kul att se dig. Du verkar solbränd. Har du varit utomlands?" frågade Li(s)za Luzt med frejdig stämma alltmedan hon stoppade i sig lite saltgurka.

"Tack, Liza! Jo, jag har gjort en sväng till bl a Sorrento och Capri i Italien, med två av mina bästa kulturvänner. Som du kanske vet så ömmar jag mycket för kultur och särskilt rondellkultur. Jag är väldigt förtjust både i rondellhundar och upp och nervända bilar som står och rostar vid infarten från Beach Bay till Gevalia City center."

"Verkligen! Själv har jag en svår päls- och pollenallergi så t o m rondellhundar kan få mig att må dåligt", sa Liza med en ironi som Steve inte förstod.

"Usch då! Vad jobbigt men till saken," sa Steve och började ta små tuggor av fisken från matbuffén. Fader Sven bad mig kolla om du fått till stånd något frågeschema med 20 frågor.

Frågor som gör att man kan se vad de som söker sig till kören har för preferenser", sa Steve och försökte ta tillbaks lite av den inbillade pondus som han trodde sig ha tappat när han snubblade.

"Tack för att du tar upp det. Som du vet så ingår jag

i ett First Quality Christian Coach-team (FQCCT). Vi är just nu totalt 8 stycken och av dem är det tre som sjunger i kör så jag dryftade frågan med dem och talade om hur viktigt bl a du tycker det är att man kryddar den körmässiga anrättningen med ett antal parametrar som kan tänkas påverka körklangen (KK) och särskilt den kvinnliga körklangen (KKK)".

"Ok! Spännande! Vad kom Ni fram till?"

"Jo, att man skall börja med att fråga om man läser Aftonbladet eller Expressen för att få en vink om politisk färg".

"Tror du att det påverkar?" undrade Steve klentroget som alltid varit lite av en Tomas Tvivlaren.

"Ja, visst påverkar det. Det är ju bara att titta på hur miljöpartister och vänsteraktivister ofta går upp i falsett när de pratar och det visar ju på att de är sopraner eller tenorer." sa Li(s)za Luzt och såg mycket allvarlig ut.

"Ok. Fortsätt".

"Två bitar som man verkligen bör ha med är ju om man har mjölk/socker till kaffet eller om man rent utav dricker te. När jag gjort mina inledande-något sekreta-studier så har jag ju upptäckt att många körsångare och särskilt altar, ofta dricker te istället för kaffe".

"Menar du det", sa Steve och såg deltagande ut.

"Javisst är det så, och sedan måste man ju kolla om man har körkort eller inte och vilken bil man kör och hur många hästkrafter den har".

"Hur tänker du nu?" sa Steve och såg verkligen brydd ut.

"Jag menar helt enkelt att den som har körkort och dessutom bil med stark motor ofta har en förmåga att sjunga starkare och mer sällan vara "mutant/mute-ant". En BMW eller Mercedesförare vet sin plats i hackordningen i bilsamhället och vågar sjunga ut oavsett om man sjunger eller inte. "

"Mycket bra och mer," sa Steve som började bli otålig eftersom han skulle gå över gatan och få undervisning i tyngdlyftning av Anders Highberg.

"Ja, sedan måste man självfallet kolla hur det är med gröna fingrar. Är man ägare till minst två pallkragar och har växthus så är ju sannolikheten för att man även kan läsa noter god. Är man van att läsa på små tunna fröpåsar med morötter och eljest så är ju steget inte så långt till att klara av att placera alfabetet på diverse tallinjer".

"Ligger mycket i det. Mycket i det", sa Steve och var märkbart imponerad.

"Kan du ta 2 parametrar till så tycker jag vi gjort ett strålande dagsverke".

"Ok, då tar jag något väldigt aktuellt nämligen religionstillhörighet och traditionell cykel eller batteristyrd moped. Och kommer då fram till att katoliker ofta sjunger bättre än protestanter så därför skall vi måna om våra polska vänner liksom om dem från Ungern och även Tanzania".

"Okej, och det där med batteri eller inte? Kan du utveckla det?"

"Det är inte svårare än så att de som har elmoppar är lata och bekväma av sig och vill inte bli svettiga. Är lite pryda och orkar ofta inte lära sig noter medan särskilt de som har oväxlade cyklar har väldigt god förmåga att läsa noter och vågar dra i magstödet och få en bättre klang. Här i länet ligger vi faktiskt på 80% notkunnighet för dem som har högst tre växlar på sin cykel samt osmord kedja."

"Otroligt!" säger Steve. "Som du har jobbat. Skulle inte förvåna mig om Rot-Leif erbjuder dig ett Gryt 1 eller rent av Gryt 2 om du fortsätter så här."

"Tack för de orden. Nu skall jag hem till mitt lilla "gryt" på 120 kvm och öva på vals och foxtrott inför kvällens danstävling på "South Stream".

"Lycka till med allt och än en gång. Bra jobbat. Skriv ett PM så skall jag ta upp det här med Rot-Leif ganska omgående."

De skiljs åt och Steve lyckas snubbla ännu en gång

innan det är dags att åka till Systembolaget och köpa lite stärkande droppar.

Li(s)za Luzt tar en extra kopp kaffe och språkar lite med den trevlige armenier som driver stället och får något lystet i blicken. Det här är något helt annat än den fumlige Steve. Vilket kroppsspråk tänker hon när hon läppjar på sitt kaffe och stretchar lite med fötterna under bordet.

Kap 29
UTVALDA

Steve hade fortsatt problem med sitt skrivande och som alltid problem med sitt liv. Det var tungt att springa omkring i det ständigt skenande livshjulet. Han hade så mycket som var bra. Han hade en fru som behjälpligt tyckte om honom. I vart fall när han gav henne blommor och en flaska mousserat vin.

Han hade små barn som avgudade honom och som var en ständig källa till en närmast osannolik kraft och energi. Han hade ett överdrivet ego som skulle hjälpa honom att vara terapeut åt andra, år efter år men han var inte ekonomiskt oberoende som Rot-Leif. Och han hade alldeles för få 'filosofiska kamrater' även om Li(s)za Luzt med expressfart kanske var på väg att bli en sådan kamrat? I vart fall var det en möjlighet. Steve såg många möjligheter men det var få saker som förverkligades. Ungefär som när man överklagar till Högsta domstolen och det var 1% chans att målet togs upp. Rot-Leif hade en förmögenhet som skulle räcka i 100 år om han var spendersugen men annars i minst 200 år. Ändå var inte Steve barskrapad. Han och hustrun hade kanske en miljon i övervärde på huset men vad hjälpte det om banken påstod att man innebar en viss risk för dem trots att de aldrig förlorat en krona och varje år fick minst 10 000 kr från hans bolag i olika avgifter och till det en rejäl vinst på all ränta.

Oavsett ekonomiska villkor så hade Steve snarare ett filosofiskt övertag gentemot sin uppdragsgivare och vän. Rot-Leif ville ofta fråga Steve om olika livsval. Rolle hade åtta barn med olika kvinnor längs Norrlandskusten. Han hade medvetet, via dating-sidor, sökt sig till fertila kvinnor i Gevalia, Söder-hamn, Iggesund och Sundsvall. Genom sina osan-nolikt givande kontakter kunde Rot-Leif kolla upp personer som han var intresserad av och se till att de i smyg tvingades ge ifrån sig DNA som sedan låg till grund för en bedömning av kvinnornas fertilitet. Steve var väl medveten om att R-L hade ekonomi att göra nästan vad som helst men han hade ingen själs-frid. Han var ofta osäker på om han gjorde rätt och han var ekonomisk och tyckte exempelvis att han betalt för mycket för att få sjunga solo i El Tomaso kören efter att han mutat "Maja Dahl". Rot-Leif var inte ens säker på att det var en bra sångare. Visst var han helt ok men-hemska tanke-tänk om han var "stödsångare" och inte solist. Då skulle Rot-Leifs hela musikaliska karriär falla. Å andra sidan var det mest hans överjag som tänkte på det sättet. Steve kunde konstatera att han var betydligt tryggare i vad han kunde och inte kunde än Rot-Leif.

Steve var en Christoffer Robin (i Nalle Puh) och Rot-Leif någonstans emellan Grisen Nasse och Åsnan Ior.

Ett av Rot-Leifs problem var att Rot-Leif var kär i en Åsa som jobbade på pappersmassefabriken i Vallvik som traversförare och nu ville han rådfråga Steve hur han skulle göra med henne.

"Tycker du jag skall göra ett försök att få till det med henne. Hur mycket skall jag satsa tycker du? " undrade Rot-Leif oroligt och var väl medveten om att Steves svar kanske inte var det han ville ha.

"Jag tycker du skall lägga bort plånboken för en stund. De flesta kvinnor som inte säljer sig själva via ryska datingsidor eller på annat sätt, är inte särskilt intresserade av dina pengar. De behöver ingen rysk kaviar. De behöver inte omge sig med dina kända kamrater som du omger dig med. Särskilt inte om man jobbar på fabriken i Vallvik och bor i Ljusne och handlar på ICA. Du har levt högt på din förmögenhet och din förmåga att köpa allt mellan himmel och jord men det gör dig också svag. Du orkar inte lyssna på människor med stor integritet. Du vill alltid ha rätt och avslutar ofta dina meningar med "så är det" och därmed är diskussionen klar. Du skulle exempelvis aldrig lyssna på kloka råd från Li(s)za Luzt eller Gun The Gun. Du orkar inte lyssna på sångare som inte vill mutas. Du vill bygga upp en riktigt bra kör. Visst. Gör det men inbilla dig inte att pengar är enda lösningen och om ens en del av lösningen".

"Vad anser du är lösningen?" sa Rot-Leif och skämdes för att han inte hade svaret självt.

"Lösningen är ju förstås människor med samma värdegrund. Det är ju mycket det som förenar människor i kyrkan som har alla hästar hemma i båset. Solidaritet och medmänsklighet och tro på att alla människor är lika värda. I kyrkan skulle man ju förhoppningsvis inte släppa in SD anhängare som liksom deras ledare Jimmy Åkesson kan säga om 'utlänningar' att de inte passar in. Sådana stolligheter hör hemma på politikens gödselstinkande bakgård men inte i kyrkan", sa Steve som märkte att han plötsligt blev en agitator och en talare som han ibland var när asylkommittén hade sina demonstrationer i Gevalia city, till förmån för en humanare migrationspolitik.

"Människor som kan sjunga men inte alltid är solister. Människor som trivs med tillvaron och älskar att sjunga men inte bara en massa "läxsånger" från en körledare som är kär i sin präst och vill göra denne till lax men inte så mycket för den egna kören. Många körsångare är så oerhört tacksamma för att få vara med i en kör. Vara med i gemenskapen. Äta soppa på onsdagar och sitta vid herdens bord och diskutera kommande storverk. Sådant är bara utanpåverk. Kulisser. Ungefär som Musse Pigg och Långben på julafton som tar ner "solfjärilen" och bakom är en illaluktande soptipp. Körsång i kyrkan är i grunden tämligen medioker. Ungefär som ommald köttfärs med tvivelaktigt bäst före datum. Det är hur lätt som helst att få ihop en kör om det inte finns krav på att det skall låta bra och de som lyssnar är halta och lytta och kyrkofunktionärer som applåderar bara de hör ordet kör. Det visas ju inte minst på sk "generationsmässor" där körledaren plockar ihop en kör som förödmjukar de medverkande för att det låter så illa. Inga krav på förkunskaper. Multi kulti folk som inte kan sjunga och inte kan uttala orden. Hur kul är det om hörapparaten fungerar på i vart fall ett öra." sa Steve. Nu hade han kommit i form, tyckte han själv. Nu föll sig orden väl utifrån vad han ville säga.

"Ja, men vad skall man göra. Vad skall jag göra? "

"Jo, det du skall göra är att sätta någon som du betalar och som har herdens öra, till att sätta ihop en elitistisk kör från när och fjärran. En kör med väldigt lite mutister om ens några men många solister och stödsångare i varje stämma. Kören skall ha betalt för de vet sitt värde. Åtminstone vissa. Visst är en kör stolt om de får sjunga bakom Thomas DiLeva, Tommy Nilsson eller Carola MEN glöm inte att bakom varje konsert så har du bruttointäkter på 100 000 eller mer. Även om ljud och ljus kostar blir det en ansenlig summa över till artisten och då har man även möjlighet att betala körsångare. Nu skall de bara finnas där och är mer eller mindre livegna. Om de åker på utflykt för att sjunga i exempelvis Stockholm så tvivlar jag på att kyrkan har löst försäkring för dem."

"Du menar alltså att körer är utnyttjade?", undrade Rot-Leif och såg tveksam ut.

"Ja, det är klart de är. Alla körsångare som är med i något sammanhang som ger intäkter borde ha en "trivselersättning" med 500 kr per termin och dessutom ett klädbidrag på lika mycket. Det är ändå billigt. Vidare borde solisterna i varje stämma ha minst 1 000 kr per termin utöver grundpenningen. Hur skulle en kör klara sig utan solister? Hur låter en kör utan solister när människor med hörapparater gör konstiga utfall och inte tittar på dirigenten OM det nu finns en dirigent", sa Steve och kände att han började bli förbannad å körsångares vägnar och kyrkans oavbrutna förmåga att utnyttja körsångare.

"Ja, här finns mycket att tänka på. Jag måste nog

ha ett möte med styrelsen och diskutera det här med Gun The Gun, Li(s)za Luzt m fl".

"Låter klokt. Jag måste åka. Flakmoppen väntar", sa Steve och lämnade "grytet".

Kap 30
SAX OCH SÖM-LEVNAD

Fader Sven var en aning irriterad. Han stod ut med nästan vilka arbetstider som helst men inte fredag eftermiddag och kväll. Då borde man vara ledig även som präst. Fader Sven var som folk är mest, trots sin uppenbara fromhet och förmåga att skriva tal, hitta på visor och vara en stor social tillgång.

Alla Älskar Yngve Frej och alla älskar farbror Sven. "Han är så jordnära och fin," säger damerna på hemmet där de sitter och knypplar med mönster från "Hela Hälsingland" med betoning på Järvsö.

Kvällens möte – kyrkan hade en osannolik och osviklig förmåga att hålla möten på kvällen – skulle handla om 'sax och sömlevnad', så stod det i kallelsen men i själva verket skulle Sven som bara var 55 fyllda, prata om sex och samlevnad på ålderns höst. Tack och lov slapp han prata om de problem som uppstod i samband med att man fick prostatacancer och prostatabesvär i största allmänhet. Den typen av bekymmer hade ännu inte drabbat honom särskilt hårt även om han hade svårt att bli av med de allra sista dropparna, när han hade snuva, och hade en tendens att behöva gå och slå en "espadrillo" varannan timma vilket, var ett varsel, så ont som något, om vad som komma skulle.

Nu skulle han prata med Läppstina från Horndal och Plit-Sune från Hosjö men även två sk mutanter i Mary kören som vägrade utvecklas och bli stödsångare. Moderator var den barska och bestämda Gun the Gun(GTG). Fader Sven hade lite svårt för GTG för att hon var så stark. Det kändes som om hon såg ner på fader Sven. Trots hans stora popularitet och goda rykte som klok coach på många plan. Han var också en god arbetsledare och den som kunde ta tag i vaktmästare Loui när han gick för långt i sina intima kontakter med personalen i allmänhet och dem i köket i synnerhet. Till råga på eländet kom Louie från Polen och var i grunden katolik som med mycket uppnäsa var med i den 'lutherska' liturgin.

"Skall vi köra igång", undrade Sven försiktigt och vände sig till GTG.

"Självklart skall vi det och jag har kollat så att alla betalt för den här utbildningen på tre lektionstillfällen".

"Bra, bra", sa Fader Sven faderligt och fortsatte. "Jag skall börja med en liten introduktion. Som Ni kanske vet så har svenska kyrkan startat ett projekt med EU -pengar, som man fått via Länsstyrelsen. Där skall man försöka ta reda på vad körsångare har

140

för ambitioner med sin sång. Man vänder sig särskilt till sk 'Mute members' eller slarvigt kallat 'mutanter' och även till de som varit 'stödsångare' De är sådana sångare som har svårt att sjunga ut när de är ensamma i sin stämma men får de stöd av 'solist' så kan de sjunga riktigt hyggligt. Dels vill man veta varför man sjunger i kör och även om det finns en baktanke med sången för att idka 'parbildning'. Det vill säga ett lite finare surrogat till 'datingappar'. Jag har personligen pratat med den tillträdande biskopen Eva Ek." Det var en illa dold hemlighet att fader Sven själv trånat efter biskopsstolen men så hade det inte blivit, trots att han skrev barnvisor och kloka böcker om holistiskt religionsutövande inom svenska kyrkan och Eva Ek ansåg inte att svenska kyrkan skulle ägna sig åt olämplig kontakverksamhet och annat snusk som hon uttryckte det.

"Nu tror jag alla förstår vad du vill så kom i gång med frågorna och du behöver ju inte ställa alla känsliga frågor i dag utan kan vänta till liter senare", sa Gun the Gun märkbart irriterad. "Ditt formulär skall ju för övrigt testas i Streambridge kören och jag vet att även El Tomaso – kören är inblandad. Man har t o m kontrakterat Goran Ullfager, övningsfilens fader, så att han kan spela in övningsfiler med frågor upplästa av en person som kan läsa innantill och inte någon av alla med uttalsproblematik som brukar läsa dagens epistel."

"Fino, fino", sa fader Sven och lät som en upper-class från SOS sällskapsresan. "Då kör jag i gång och ordet är fritt."

"Kan någon upplysa om hur länge man normalt sett bör vara sexuellt aktiv och även kunna förvänta sig att körsångaren är aktiv och kan vara öppen för 'skamliga' förslag utan att för den sakens skull dra på sig blickar från de överallt närvarande självut-nämnda MeToo poliserna".

Läpp-Stina räckte upp handen och sa på bred da-ladialekt:

"Ja tycker att sex är äckligt och vill inte för mitt liv att jag, som fyllt 75-ska "råk ut" för nån horbock från Gevalia eller från annan obestämbar plats i Sve-dala. Aldri i (under)live Inte en da efter 60. Dä ä min uppfattning och hör sen".

Steve rodnade en aning över den skarpa öppnings-repliken men försökte låtsas som det regnade och sa: "Någon däremot?"

Plit-Sune reste sig och sa: "Äcklig kan du va själv. Med såna botoxläppar som du har som ä hårda som ett välpumpat cykeldäck ska du nog int tro att det kömmer så många friare till deg. Å kanske inte hell-er till meg men så länge ja ä hel å ren och byter undä

-kläder och nätbrynja varjä dag, även på helgen, så tyck inte jag att de är fel mä lite läppglans och pungsvett om jä så fä säg. Ja ä 77 fyllda men nog drar ja meg inte för att rulla runt i sänghalmen om jä hitt ena fjälla som inte lukt äckligt." Plit Sune blev högröd i ansiktet, av sina egna ord, och mest lyste en smärre utväxt i pannan.

Det fader Sven inte visste var ju att Plit Sune å Läppstina varit i lag med varandra för si så där 30 år sedan.

"Ja tror vi stannar där för i dag. Klockan närmar sig 20 00, stammade farbror Sven, och jag har stämt möte på Burned Bananas kl 20 15 för att diskutera kärleken till gud med en god vän", ljög fader Sven obehindrat. "Nästa sittning är på söndag på Waynes Coffe i Nordea-huset. Hoppas vi ses då."

Fader Sven närmast föste ut deltagarna och småsprang till kuddrummet för att titta på Let´s Dance. *Usch vilken obehaglig upplevelse men nu kan det bara bli bättre,* tänkte han för sig själv där han forsade fram.

Kap 31

MOT AYA NAPA - ATT ACCENTUERA EN KÖR OCH ÖKA KOMPRESSIONEN

Rot-Leif insåg att det krävdes något alldeles extra för att komma till skott med sitt Dreamteam. Han beslöt därför att bjuda in Steve, Li(s)za Luzt och Gun the Gun till Utvärdering i Aya Napa på Cypern.

Under resan till Cypern som tog 3,5 timmar så vilade samtliga och Li(s)za Luzt lyckades till och med att sova en dryg timma medan Steve valde att lyssna på en ljudbok av Peter May. En av hans favoritförfattare. Gun the Gun hade fullt upp med sitt nya träningsprogram för överviktiga amerikaner från Georgia. Hon skulle nu öka svårighetsgraden för de som gick fortsättningskurs 2 och även blanda i mycket chili i de energidrycker som hon förmedlade. Allt för att förbränningen skulle bli så bra som möjligt och viktnedgången tillfredställande. GTG:s rekord för viktnedgång låg på 22 kg inom 6 månader för de som gått Anna Book kurserna ABC som även innehöll lite dans.

När man kom fram till Aya Napa så tog man in på ett alldeles nybyggt hotell vid Nissi Beach. Rummen var överdådiga och maten fantastisk. För att inte bli dästa så åt man bara frukt och grönt innan man slog sig ner i var sin fåtölj i den rymliga jacuzzi som fanns i anslutning till hotellets spa.

Rot-Leif var förväntansfull. Det var nu som 'koloraturen' skulle beskrivas av Li(s)za Luzt. Det som skulle leda till körens särprägel och klang. Den klang som skulle göra varje kör unik, i största allmänhet, och Dreamteam 1 i synnerhet.

"Jag lämnar över ordet till dig Li(s)za Luzt så att du får redogöra för de körpåverkande parametrar som du har funnit under de två månader som du jobbat med det här. Är du redo?" undrade Rot-Leif högtidligt.

"Tack, för ordet. Ja, det är riktigt att jag ägnat stor kraft att försöka få fram omständigheter/parametrar (OP) som har betydelse för körklangen. Jag har testat en rad olika OP och funnit att vissa inte har någon betydelse alls för klangen. Det är inte utslagsgivande om man dricker kaffe eller te istället för mineralvatten eller läsk. Inte ens om det sker i direkt anslutning till uppsjungning eller inte. Inte heller har det stor betydelse om man är köttätare eller vegetarian. Det som däremot påverkar är etnicitet eller snarare hur din svenska är utformad. Är man från Skåne påverkar det mer än om man är från Uppsala och Småland mer än Sörmland men det som har större betydelse är multi kulti inslag."

Har man exempelvis med en finne, en från Ungern och två från Balkan i en styrka på 16 så märks det skillnad p g a deras accent som följer med även när de sjunger. Många dialekter är mycket smittsamma och påverkar sättet man sjunger på. Ta bara Mikael Wiehe och ex 'Den ja kunde va'. Trots att han sjunger skånska som är ett av landets värsta kväden så vill man låta som Mikael Wiehe redan efter en låt", sa Li(s)za Luzt och kände hur kammen växte på hennes musikaliska tupphuvud. "Tänk bara på Arja Saijonmaasyndromet", fortsatte hon som om det var självklart att alla skulle förstå den liknelsen. "Hon har så stark accent så man tror att när hon sjunger visor av Theodor Kallifatides så är dom finska istället för grekiska. Står man bredvid en "Arja" så kan det också göra att du själv sjunger med Saijonmansk accent. Har en Arja en sångare på vardera sidan om sig kan hela klanglådan bli förryckt. Om man istället ser till att placera 'Arjor' runt om i kören blir påverkan mindre. På det sättet kan man modulera en kör ganska påtagligt genom att ha med både accentrika personer i både dam och herrstämma. Yrkesval har inte så stor betydelse men en lärare sjunger mycket mer artikulerat på gott och på ont än en snickare eller bilmekaniker. Sättet att prata gör dock att man får olika volym. Den som pratar tydligt kan sjunga ut mer och starkare medan den som sluddrar får dålig volym men blir bra på con bocca chiusa dvs att sjunga med stängd mun", fortsatte Li(s)za Luzt och man anade att hon när som helst skulle få en gästprofessur och musikkunskap i Leipzig eller på annan berömd plats.

Rot-Leif låg alldeles häpen och avslappnad i sin undervattensfåtölj. Plötsligt började han förstå vad körsång handlade om. Detta med klangbotten i en kör var förstås lika väsentligt som klangbotten i en gitarr eller fiol och lika viktig som att bara göra hamburgare på högrev i stället för diverse skumt kött som blev till en "blandfärs".

"Fortsätt," bad Rot-Leif lustfyllt och Li(s)za Luzt var inte sen att hörsamma hans uppmaning.

"Tack, Rot-Leif! Jo, jag har även kommit fram till att har man en dålig relation med sin sånggranne eller störs av lukt från 'hensamme' så påverkar det minnet och förmågan att sjunga utan noter och det påverkar också hur "stelt" man sjunger. Ni vet ju att det är väldigt viktigt att vara avslappnad när man börjar låta och jag anser att man inte behöver sjunga upp så länge men man måste skaka loss tungan ordentligt genom att ha huvudet mellan benen och skaka rejält i ca en minut. Har man gjort det och dessutom är solist och har gott självförtroende så kan man sjunga ut på ett helt annat sätt än när man har dåligt självförtroende och stel tunga. Man kan lätt gå från volymläge 4 till volymläge 8 om man är avslappnad och "tungomålstalande" samt har gott självförtroende och inte har granne som man stör sig på.

"Kan man vända på steken och få vissa att sjunga svagare för att de inte skall överrösta andra?" undrade Steve som ansåg att sopranerna lät alldeles för mycket.

"Ja, absolut. Här kan en doftstark person som inte känner sin sånggranne göra stor nytta i sopranen för att sänka volymen på sopranen och höja den för altar. Och på samma sätt kan man dämpa tenorer kontra basar."

"Det här var ju fantastiskt intressant men nu skulle jag behöva en äggplantsshot innan vi går vidare. Är det ok?" undrade Steve. "Vi tar en rast på 30 minuter och återsamlas kl 17 00".

Kap 32
EN FRISK FLÄKT:
MISS SORA PORTRÄTTERAS

Miss Sora var verkligen en frisk fläkt i församlingen och även i Marykören där hon tidigare hoppat in från och till men nu bestämt sig för att stanna i kören. Miss Sora var född i Tallahasse, Florida, till föräldrar från Vancouver i Canada. Hon gick hela sin uppväxt i skola Toronto men som 25 åring flyttade hon till Sverige efter att en olycklig relation med en stalker äntligen tog slut.

Sora var alt och även en alt i allo i församlingen där hon jobbade som en slags 'inkastare'. Mary församling hade otroligt svårt att få in medlemmar som besökte kyrkan om man inte lovade att sätta in 200 kr på deras Ica kort varje gång de kom till någon mässa. Sora tyckte det här var lite "syrt" som hon sa på sin svensk-amerikanska men vad kunde man göra. Nu hade hon lyckats bli bekant med några av värstingarna i Mary Centrum och förmått dem att gå på mässa och då även givit dem barnens bibel så att de kunde lära sig något om kristendomen fastän många av dem var från Mogadischu eller andra avlägsna platser.

Sora läste inte så mycket på svenska men det kunde nog bli uppåt 300 sidor på en månad. I vart fall om det var korta böcker. Hon föredrog Expressen före Aftonbladet och Hänt i veckan före Damernas värld. Sora var republikan och tyckte att Trump var en "dåår-skalle" som hon uttryckte sig. Hon tyckte kungahuset var "styligt" men hon trodde inte på Monarki. Möjligen valmonarki med personer som var valda 5 år i taget och gick omlott.

Sora bodde ingenstans utan levde i ett öppet förhållande med fem olika karlar från måndag till fredag och på helgerna brukade hon sova i kuddrummet i kyrkan om hon gick och la sig. Hon älskade disco och även karaoke. Sora åt kött men inte rött kött utan det blev kyckling och fish för heela pengen, som hon uttryckte sig.

Av författare så gillade hon Hemingway men även Saul Bellow och Camilla Läckberg.

"Hon är så läcker hela hon", sa Sora som hade ett regnbågssinne och kunde tänka sig vara ihop med både män och kvinnor men ingen äldre än 60 år. Det retade Steve som hade fyllt 60 men såg ut som 50.

Vaktmästare Loui var hon förtjust i och var beredd att vara med honom en dag i veckan om L fick för sin fru.

Sora sjöng rent. Hon spelade blockflöjt och lite

piano och var gärna solist. Hon trivdes i rampljuset och hade länge planer på att bli skådespelare men var tveksam då hon visste att det inte sällan hände att man fick gå sängvägen till de bättre rollerna. Hennes röststyrka låg på en svag sjua om hon inte hade sjungit upp väldigt bra.

Ja, det var ett kortporträtt av Sora i för kvällen bärande en lång klänning. Sora visste verkligen hur man gjorde för att organisera olika aktiviteter i kyrkan och var det inte grillat, så var det soppa eller limpmackor med extra mycket pålägg. Sora var med överallt och hon älskade sitt stressiga liv men var samtidigt lite ledsen för att hon inte hade möjlighet att följa med på en slags körresa till Åland arrangerad av Steve Emfors. Hon tyckte Steve var en spännande person och ville lära känna både honom och hans fru lite bättre. Hon såg också fram emot att dela tid med Maria Cat och Li(s)za Luzt.

Kap 33

DREAMTIME BÖRJAR TA FORM

Rot-Leif började bli lite otålig eftersom han räknade med att hans Dreamteam skulle vara med och tävla i en stor körtävling i Tallinn den 1 juli. Dit var det nu knappt 2 månader. Han hade redan gjort en öppen anmälan av kören. Ännu hade han inte behövt redovisa vilka som skulle vara med i kören men i det här skedet skulle han nöja sig med 4x4 sångare (4 wheel – sing konstellation) och fyra inhyrda solister som själva var musiker. Dessutom 2 reserver i varje stämma för säkerhets skull och förstås 4 mutanter som i detta fall kunde sjunga rent men svagt.

Rot-Leif hade gjort i ordning 20 ingefärsshots och det var meningen att man skulle ta en shot för varje ordinarie medlem i DT som utsågs. Gun The Gun, Steve och Li(s)za Luzt var på plats i storgrytet i Homebridge. R-L hade uppmanat samtliga att motionera innan man kom till Grytet så att man kände sig avspända och lediga.

"Kan vi köra i gång", undrade Rot-Leif med sin starka stämma.

"Det kan vi," sa Steve och de andra höll med.

"Då kan vi börja med basen", sa Rot-Leif och

fortsatte: "Den är väl lättast att fylla upp antar jag", resonerade han och såg lite gåtfull ut.

"Låt höra. Kan Steve redogöra för den?"

BASEN

"Javisst. Självklart," sa Steve.

"Som inhyrda har vi musikern Tom Trana och även Leif Lok. Den sistnämnde kan t o m komponera och är en baddade på att dirigera. Vad sedan gäller ordinarie styrka så har vi först och främst fil-delaren Goran Ullfager och hans vapendragare Markysinnan. Där får vi med ett finskt bidrag som är viktigt för klangen. Börje Barsk platsar också men det kan bli för mycket av skönsång i basen om han är med. Han får därför vara reserv i ett inledande skede".

"Sedan har vi förstås Börje Q och Börje Borr. Båda mycket meriterade och man kan sjunga i styrka 8 vilket är positivt när man behöver dra på i "det susar i säven" och andra ljudliga visor. Börje Borr är ju också en person som lätt får andra sångare att gapa med tanke på att han själv varit tandläkare under en följd av år. Som mutant tar vi Börje Bok eftersom han har problem med luftrören men är snygg att se på och därmed viktig för den estetiska framtoningen."

"Bra, bra. Jag har inga ytterligare synpunkter på

153

basen, upplyste Rot-Leif, jag anser att alla är vikti-
ga och reserver tar vi lite senare", konstaterade Rot-
Leif. "Kan vi då gå vidare med Sopranen. Kan du
ta den Liza?", sa R-L och log inställsamt mot Liza.
Han kunde inte dölja att han var förtjust i henne och
gärna ville att hon blev hans 'grävling' i vart fall en
natt i veckan.

SOPRANSTÄMMAN

"Visst kan jag det", sa Li(s)za Luzt och log lustfyllt
mot Rot-Leif. "Jag har ju tidigare varit sopran så jag
anser mig ha kompetens att välja en sådan skara. Där
har vi först två solister i form av Ella White och Ella
Brown".

"Vad gäller de ordinarie så platsar Petra Bud från
Ungern och även Kia Krakow från Vitryssland. I
den här stämman är det extra viktigt med multi-kul-
tiinslag. Sedan har vi med Kyngva Kiosk och Anna
Ot. Som reserv vill ja ta med Forskar Fia. Så att hon
på plats kan kolla att allt är ok."

"Tack för det Li(s)za Luzt", sa Rot-Leif och kon-
staterade att Li(s)za Luzt dagen till ära var osedvan-
ligt from. Då tar vi var sin shot för det här laget och
passar på att även ta en shot för det första laget. Ja,
då var det dags för alten. Hur ser det ut där, Gun the
Gun?"

ALTSTÄMMAN

"I alten föreslår jag som följer: Som solister Clara Berg och Carola Kilt. Carola är ju förstås bara med när hon inte spelar. Som ordinarie jag själv, Li(s)za Luzt och Rikki Kikki Tar Vi och förstås Maria Cat. Just nu har jag inget förslag på reserv."

"Ok då har vi tenoren kvar. Blir den svår att utse Steve?"

TENORSTÄMMAN

"Ja, kanske lite. Vid en sluten omröstning kom jag med och även Anela Mat, efter att hon gått igenom volymkursen. Ture Ton kom också med liksom Börje Borr. Till solister föreslår jag Jim Jasmin och Jonny Rocker. Som reserver väljer jag Classe Clas och Leif Thor från El Tomasokören.

"Det här gick ju väldigt bra. Då har vi ju bara lite mutanter kvar och vissa ersättare. Ni har jobbat storståtligt och därför skall alla av Er få en kaffemaskin från Job Meal och det ingår 1000 koppar kaffe per år så det bör ju räcka ett tag. Om Ni inte har något bättre för Er så föreslår jag att vi åker till Ångbastu och jacuzzi på Wuthering Heigt-badet så kan vi spåna vidare och även tala lite med solisterna. Jag har bjudit alla till kl 18 00 och jag hoppas att de flesta kommer. Stort tack så här långt"

Rot-Leif kände sig lättad. Nu skulle han se till att få namn och personnummer på alla och även mailadresser. Det kunde nog Li(s)za Luzt ordna. Hon var som en sekreterare redan trots att hon bara varit med i kören en kort tid.

Rot-Leif lutade sig tillbaks och tog en "powernap" i 15 minuter. (Det skulle bli spännande att se henne i baddräkt, tänkte han för sig själv och log förnöjt). Han ville vara pigg när etapp 2 av bildandet blev aktuellt.

Kap 34
ATT KNYTA IHOP SÄCKEN

Steve kände starkt att det var dags att knyta ihop säcken. Man var snart framme i mitten av maj och Rot-Leif hade bokat Gevalia konserthus för ett första svenskt framträdande för The Dreamteam- Gevalia style den 8 juni. Rot-Leif hade även samarbetat med Uppsala och Sundsvall för att få ihop en rejäl kör. Han hade tagit hjälp av Kjell Lönnå i Sundsvall – som under en följd av år haft ett dreamteam med 3 körplutoner- och totalt skulle man få ihop 5 x 20 personer dvs 5 körplutoner som skulle bilda ett körkompani(KK).

Alla i dreamteam 1 hade fått sina skräddarsydda kostymer från Skrädderiet Lloyds i Stockholm. De marinblå kostymerna satt som en smäck på herrarna och dräkterna till damerna var också mycket eleganta. Till det kom vita skjortor från A-scott i Gevalia och A-scott hade även tagit fram folkviseblå slipsar som matchade kostym och skjorta SAMT skor som passade de välsydda kostymerna och dräkterna. Som en extra dusör till körmedlemmarna hade Rot-Leif kostat på sig att ge bort manschettknappar med R-L ingraverat i äkta bladguld. Totalt hade kalaset för dessa 20 sångare gått på dryga miljonen. Men det var det värt ansåg Rot-Leif. Han räknade kallt med att "skriva av" dessa kostnader på 5 - 6 år om man bara fick igång verksamheten på intäktssidan och det här första året borde omsättningen ligga på ca 3 miljoner om man fick till en bra julkonsert med Malena Ernman.

Körrepetitionerna hade handhafts av demondirigenten Rakel Gud, vad gällde herrarna och damerna togs hand om av Leif Lust, en släkting till Li(s) za Luzt, som var från Karlstad och var van att leda körer. Carola Kilt skulle spela liksom Mary Day och Lady Gaga. Dirigenter och musikanter fick vardera 10 000 kr ur Rot-Leifs egen ficka. Pengar som han förstås skulle ta tillbaks så snart man haft den första konserten i Gevalias Hall of Fame-konserthuset.

Vismaterialet hade denna gång inte tagits fram av bara körledare utan nu hade Rot-Leif sista ordet tillsammans med Gun The Gun och Steve Emfors. Mycket gick i solens tecken men det man absolut inte hade med var den förfärliga "Tussi Tussi lago" som Lady Gaga älskade.

Filer till allt ordnade som vanligt Goran Ullfager, den trogne och pålitlige körsångaren med anor från "russarnas" land.

Repertoaren, som notgruppen tagit fram under ledning av Rot-Leif, bestod av California Dreaming, Scarborough Fair, I still have not found what I am looking for, (U2) Stad I ljus, Underbart av Kalle Moraeus, Guldet blev till sand, Anthem, En vänlig grönskas rika dräkt, Bred dina vida vingar samt "den jag kunde vara" av Mikael Wiehe och slutligen också "Hallejuhah" av Leonard Cohen. Som Extranummer hade man "Där Gullvivan blommar" och "Kärleken förde oss samman." Steve var nöjd med denna initiala och insmickrande repertoar som var lite av en bästa-lista för körer (och flera av dem var lättsjungna för tenorer) som han hade varit med i.

Han insåg förstås att listan kunde göras mycket längre men han ville ha en lista med kända låtar och som många människor tyckte om. Alla låtar skulle framföras utan noter. En riktig kör hade inte noter. Då kunde man också fullt ut koncentrera sig på dirigenten.

SOLISTER

Som solister för den första konserten hade Rot-Leif valt Tommy Nilsson och Thomas Di Leva. De skulle ackompanjeras av Stefan Nilsson på piano. Rot-Leif hade fått alla tre för 200 000 kr totalt och det innefattade 2 konserter. Om allt blev utsålt skulle man göra om samma show den 9 juni och då handlade det om

150 000 kr för de kontrakterade.

Tio stycken från Gevalia symfoniorkester skulle också vara med och förgylla ljudbilden. De kostade totalt 50 000 kr och lika mycket om det blev extraföreställning.

För att finansiera hyra och ljud och ljus hade Rot-Leif kommit sams med Gevalia konserthus om att de skulle ha 20% av intäkterna. Gevalia konserthus tog 800 personer och de finaste biljetterna skulle kosta 800 kr och de lite sämre minst 500 kr.

Totalt skulle en konsert ge ett snitt på 500 kr/besökare efter att konserthuset fått sitt. Dessutom fanns chans att ha champagnemingel med artisterna i pausen och det borde inbringa ca 50 000/konsert.

800 biljetter x 500 kr x 2 konserter gjorde alltså 800 000 kr, konstaterade Rot-Leif. Överskottet skulle plöjas in i en musikfond och stödja musiklivet i Gevalia under en femårsperiod och den skulle se till att duktiga körsångare fick gå på utbildning och man skulle även få ersättning om man ingick i dreamteam med 2 000 kr per termin plus ett antal fördelar. En ytterligare inkomstkälla var att Goran Ullfager erbjudit sig att spela in konserten så att man kunde sälja skivor för kanske 50, 100 tusen och då lovat en musikalisk 'anrättning' med fildelning samt Nyckelharpa.

På sikt räknade Rot-Leif med att det skulle kunna bli tre dreamteam i Gevalia kommun och att man förstås skulle ha konserter fortlöpande för att få in intäkter. Tävla skulle man också göra regelbundet och då skulle Rot-Leif se till att man fick del av reklamintäkter i samband med stora konserter och tävlingar.

Även kyrkan skulle få betala för uppträdanden av dreamteam. Minst 5 000 kr per uppförande och dubbelt för uruppföranden där klocka ingick som bonus. Kyrkan hade tillräckligt länge varit 'gratisätare' som arvoderat sina duktiga körsångare med limpmacka –samt i vissa fall signerade böcker av fader Sven – och en kopp kaffe. Nu skulle det bli ändring på det.

Vid varje repetition skulle man ha exklusivt kaffebröd som köptes in från närproducerade konditorier. En 'Sara Bernardbiskvie' per körmedlem innebar en kostnad på 500 kr per övningstillfälle om det var 25 körsångare men det skulle man klara av att hantera. Det var gula västar som gällde. Det var rättigheter för körsångare som var den stora drivkraften för Rot-Leif fast i grunden var det förstås ekonomisk vinning men maskerat som ett ideellt projekt.

Rot-Leif var nöjd och han kallade Steve, Li(s)za Luzt och Gun the Gun till överläggning och slutplädering i Gryt 1 i Homebridge.

SLUTORD

Rot-Leif lutade sig bekvämt tillbaks I sin sköna fåtölj i favoritgrytet I Homebridge. Vid sin sida hade han Steve Emfors som fört projektet i hamn med framgång. Kanske inte perfekt men tillräckligt bra för att ge en vink om hur framtiden såg ut. Nu skulle 100 dreamteams blomma.

Rot-Leif hade redan haft kontakt med ett tiotal av de mest kända körledarna i Sverige.

Många artister hade sagt att de ville vara med i kommande projektet. Bland dem Carola och Mikael Wiehe. Tommy Nilsson och Thomas Di Leva ville även vara med på nytt och var extra intresserade om man höll konserterna på Friends Arena i Solna. Då kunde man ta in 50 000 åhörare och man kunde ha en kör på minst 2 000 personer. Om man kombinerade biljetterna med lite förtäring så skulle de enklaste biljetterna kosta 1 000 kr. Därmed kunde alltså omsättningen hamna på 50 miljoner kr. Vinsten borde bli minst hälften även om man betalade de medverkande artisterna bra och såg till att varje kör fick 10 000 i bidrag. Det gällde bara "Dreamteamkörer". De andra fick ta sig dit för egen maskin och kanske t om betala ungefär som man gjorde när man fyllde upp Globen i Stockholm på 90-talet i projektet: "Toner för miljoner". 50 miljoner gånger 20 konserter och plötsligt en miljardindustri. Inte illa. Rot-Leif såg fram emot att samarbeta med Spotify och att sälja TV rättigheter. Det här kunde leda hur långt som helst. Det kanske var dags att ta hit Ed Sheran, Adele och andra storheter. När Rot-Leif berättade för Steve så log han bara men å andra sidan visste Steve att inget var omöjligt för Rot-Leif. Han var en musikentrepenör som kommit för att stanna. Steve själv trivdes bra under korkeken och behövde inte så mycket påfyllning i sin plånbok. Rot-Leif hade givit honom en gratifikation på 1 miljon mot att han sålde 50% av sina bokrättigheter till Rot-Leif. Livet lekte och snart var det dags att hämta barnen på skolan.

PERSONER I "MITT LIV SOM KÖRSÅNGARE
(Ett axplock men inte alla)

Rot-Leif: Mecenat och initiativtagare till "Dream team"

Steve Emfors: Berättare och tenor i "Marykören"

Carola Kilt: Körledare

Lady Gaga: Körledare

Gun the Gun: Tongivande i Streambridgekören och medhjälpare till Steve Emfors

Maria Cat: Alt i Marykören

Rkkikikkitavi: Alt i Marykören

Li(s)za Luzt: Medhjälpare till Steve Emfors samt alt

Liza Last: Ordningskvinna i Marykören och alt

Börje Borr: Bas i Marykören

Börje Bil: Tenor i Marykören

Börje Bok: Bas i Marykören

Börje Båt: Bas i Marykören

Q eller Börje Q: Bas i Marykören

Goran Ullfager: Bas i El Tomasokören

Markysinnan: Bas i El Tomasokören

Anela Mat: Tenor i Marykören

Fia Forsk: Sopran i Marykören

Dahlia Day: körledare för El Tomasokören

Carola Kilt (CK): körledare för Marykören

Rakel Guld: körledare för El Tomasokören

Bengt Oljelund: körledare i Gevaliakören

Bongo: f d körledare för El Tomasokören

Eiram Al : alt i El Tomasokören

Kyngva Kjol: sopran i Marykören

Ture Ton: tenor i Marykören

Och ett antal andra som inte förekommer så ofta.